口下手でも うまく伝わる

しゃべらない「会話力」入門

渡瀬 謙 著

永岡書店

はじめに

「もっとうまく話ができたら、みんなと仲よくできるのに……」
「あんなふうに楽しく話をしたいけど、いつも会話が続かないのはなぜ？」
「仕事がうまくいかないのは、自分が話下手だからだ！」

一度でもこんな気持ちになったことがあるのなら、この本はきっとあなたの役に立つでしょう。

私は長い間（40年以上！）ずっと会話下手で悩んでいました。口下手で内気でしかも極度のあがり症でした。人と一緒にいても、心から楽しいと思ったことはありませんでした。いつも「なにかしゃべらなくちゃ」と心をざわつかせながら、なにもしゃべれずにいました。

大人になってもそれが続くと、人付き合いが悪いというだけでなく就職や仕事を続けることにも支障がでます。普段の生活さえ困難で、女性ともまともにしゃべれない状態でした。

これもすべて、うまく会話ができないせいだ。そう思っていました。

会話に関する本もたくさん読みましたし、話し方教室にも通いました。

でも一向にうまくなりません。

そんなことを40歳近くになるまでずっと続けながら悶々としていました。

たまの飲み会の席でも、面白い話でいつも場を盛り上げる人を遠くからうらやましい思いで眺めていました。

もっとうまく話ができるようになって、人生を変えたいと心から願っていたのです。

そんな私が、今では人に話し方を教える立場になりました。

あれほど人前でしゃべることが苦手だったのに、口下手な営業マンを対象にした研修やセミナーで話をすることが仕事になったのです。ときには1000人以上の前で話すことも！

口下手であがり症の自分にそんなことができるなんてびっくりです。

今では、人と会話をすることにまったく苦労を感じなくなりました。

なぜ、私が変わることができたのか？

同じ悩みを抱えている人なら、それが知りたいですよね。

でも、正直にいうと、私はまったく変わっていません。

今でも口下手ですし、性格も内気なままです。セミナーでもたどたどしくつかえながらしゃべっています。

詳しいことは本書のなかでお話ししますが、たとえ口下手でも「会話力」を上げることができるということを、まずは知っておいてください。

会話力とは、上手に話すテクニックではなく、きちんと相手に伝える力です。

それを意識することによって、私は話下手のままで会話力を身につけました。

しかも、今までの苦労はなんだったのだろうというくらい簡単に！

私のような根っからの口下手人間でも、平気で人前で話ができるくらいになれるのです。

本書では、その秘訣を短時間で少しずつ読み進められるように、コンパクトにまとめました。

会話力を身につけるということは、社会生活すべてにおいてプラスに働きます。普段からの人付き合いはもちろんのこと、会社のなかでの振る舞いや、営業のような対外交渉の場でも威力を発揮します。

なによりも人との関わりに対してストレスが激減します。

そんな能力を、あなたも身につけてください。

口下手でもうまく伝わる　しゃべらない「会話力」入門　目次

第1章

まずは会話の基本を知るところからはじめよう！

会話上手が当たり前にやっていることって意外と単純

シチュエーション・タイミング別会話術

第4章

もう一歩踏み出した会話に挑戦しよう！

これをやったらアウト！会話のタブー集

第6章 さらにコミュニケーションを高める会話力を身につけよう！

序章

会話が苦手な人が多いのはなぜだろう？

人と話をするのはどうも苦手……。
そもそも
なにが原因なのでしょう。

人としゃべらないでいられる時代になってきた

なぜ、人付き合いが苦手なのか？

近年、書店では、人間関係やコミュニケーションをテーマにした本が売れています。雑誌でも「まわりの人とうまくやるには」や「人付き合いの極意」などの特集が増えています。

私が普段お世話になっているセミナー主催会社でも、コミュニケーション関連の講座に人が集まっているそうです。また、近年の企業の採用基準では、「コミュニケーション能力」がつねに上位の項目としてあげられています。それだけ世間では重きを置かれているテーマだといえます。

「コミュ障（コミュニケーション障害）」という言葉も一般化しているほど、社会人としての関心が強くなっています。

裏を返せば、苦手な人が多くなっているともいえるでしょう。

そんなコミュニケーションの代表格ともいえるものが「会話」です。

あなたも少なからず会話が苦手だと感じているから、本書を手に取っているのだと思います。

ではなぜ、会話が苦手な人が増えているのでしょうか?

まずは、その根本的な理由から考えてみましょう。

電話よりもメールが主体になってきた

「はじめに」でもお話ししましたが、私は子供のころから人としゃべることが苦手でした。人見知りで内気な性格だったので、どうしても人との会話がうまくできなかったのです。

そんな私でも、人になにかを伝える必要があるときには、電話で話すか、直接会って伝えていました。

どんなに話すことが苦手だとしても、最低限の「話をする」ことは行なっていたのです。

ところが現在では、誰かに用件を伝えるときに、私はまずメールを使います。仕事をしていても、電話よりもメールでのやりとりのほうが主流になってきています。スマートフォンをもっていますが、一番使う機能がメール、SNSなどで、電話機としてはあまり使っていません。

もともとしゃべるのが苦手な私にとっては、メールやLINEが当たり前の今の時代は、とても合っていると感じています。

ただ、もしも私が子供のころにメールがあったとしたら、おそらく私はもっと無口な人間になっていたでしょう。しゃべりが苦手な私は、なんでもメールですませようとしていたに違いありませんからね。

その意味で、今の子供たち（もしくはスマホやメールが当たり前の世代）は、**「人としゃべらないコミュニケーションが日常」という環境のなかにいるわけで、私が子供のころと比べても、圧倒的に「会話」をする機会が少なくなっている**といえるでしょう。

それは子供だけではありません。ファストフード店などでも、数人の若者がテーブルを囲みながらそれぞれ無言で自分のスマホをいじっています。

ビジネス街でのランチの場面でも、何人かで連れ立ってお昼ご飯に行くのにもかかわらず、一緒の席でみんな黙々とスマホの画面を眺めています。

これまでは、何人か集まったら、なにかしらの会話をするのが当然でした。少しでも沈黙になると、それを破るように誰かが話題を出して会話がはじまっていました。私のような口下手なタイプでも、なんとか会話をつなげようと少なからず頑張っていたのです。

今の時代、会話をしなければいけない場が減っているのは事実です。

だからこそ、**人と会話をすることを、より一層意識する必要がでてきている**といえるでしょう。

会話上達の予備知識

1

人と話す機会が減っていることが会話力に影響している

2 コミュニケーションが苦手な人が増えている

学校にもなかった「会話」の授業

会話の苦手な人が多い理由として、**正しい会話のしかたを習ってこなかった**ということがあげられます。

思い返すと、私は学校の授業で「会話」を教わった記憶がありません。まあ、会話などは自然に身につくものだと思っていましたし、教師としてもどうやって教えたらいいのかわからない状態だったのでしょう。

文法や漢字をおぼえる作業なら採点のしようもありますが、会話の良し悪しを判定する基準など、もともとないのです。

もっというと、話し方教室というのも、私が知る限りでは、文字通り「話し方」を教わるところで、「会話」ではないところが多いようです。

会話というもの自体がそれほど重きを置かれていなかったともいえます。前提として、わざわざ学校で教えなければいけないほど、みんな不自由を感じていなかったのです。言語と同じようにふつうに親や友だちと接していれば、自然に身につく類のものでした。

しかし、**近年ではそれが「自然に」身につかなくなってしまった**のです。

あなたは何人家族で育ちましたか？

まず家族構成の変化による影響があります。

私は、一番多いときで、両親と兄弟二人、そして祖母と一緒でしたので、6人です。近所の家庭を見ても、4人から7人くらいの家族が一般的でした。時代の変化や景気の影響もありますが、今ではもっと少なくなっていますよね。一緒に暮らす人の数が減っているのが現状です。

それはそのまま、人との関わり方の練習の量に比例します。

父親に対する接し方と母親への接し方はおのずと違ってきます。また祖母との距離感なども、子供ながらに自然に学ぶことになります。

今日は父親の機嫌が悪そうだから、テストの結果は見せないでおこう。祖母が寂しそうにしているみたいなので、話しかけてあげようか。などのように、相手の態度や雰囲気の違いを察しながら、接し方を選ぶことをごく自然にやっていました。

もちろん、接し方を失敗することもたくさんあります。そうして怒られたりしながら、身をもって学んでいくのです。

家族というのは、なんでもいい合えるようでいて、案外気を使って接しなければいけない一番身近な他人です。

もしも家族が互いに我を張り通して仲違い(なかたがい)しようものなら、それぞれの生活や人生までも変わってしまうことにもなりかねません。**人付き合いにおけるギリギリのラインを見極める訓練にもなっていた**のですね。

ゲームが遊びの中心

私が子供のころには、親から「テレビなんて観てないで外で遊んできなさい」とよくいわれたものです。子供は外で友だちと一緒に遊ぶのが当たり前でした。それが、ゲームが家庭に入ってきてからは、子供の遊びが一変してしまいました。

かくいう私も、どっぷりはまってしまい、いつもひとりでゲームをして過ごしていました。当然、その時間は誰ともしゃべりません。友だちはおろか親や家族との会話も激減していたのです。

さらに、機械が相手なのでこちらがミスしてもなんら困ることはありません。単にリセットボタンを押せばOKです。その習慣からか、会社に勤めてもすぐに辞めてしまう人が増えています。もう少し工夫や改善を試みてもいいのにという場面でも、**上司に相談することもなく簡単にリセットするクセがある**ようです。

このような時代背景も、会話が苦手な人が増えている理由です。

会話上達の予備知識

2

現代人は慢性的なコミュニケーション能力不足に陥っている

性格的に会話が苦手なタイプとは？

しゃべりたい気持ちはあるのだけれど……

時代や環境が原因で、会話が苦手な人が多くなっているのは事実ですが、もうひとつ、根本的な理由があります。

それは性格によるものです。

性格的に対人関係が苦手なために、会話も苦手意識をもっているというもの。

もちろん、私もそのひとりです。

内気な性格というのは、人に対してなにかをいいたいと思ったとしても、それを実際に口にするまでにはいくつものハードルがあります。

「こんなことをいって相手は気を悪くしないだろうか？」

「面白くないと思われたら嫌だなあ」

「もう少しいいだすタイミングを計らないと……」

とにかくふつうの人なら思いつかないような心配までしてしまう性格なので、結局なにもいいだせなくて終わってしまうことも多々あります。

普段からしゃべりなれていないので、必ずといっていいほど言葉がつかえてしまいますし、自信がないので声も小さくなります。表現力も抑揚もなく、結果つまらない話になりがちです。

そして私がとくに気にしていたのは、

「しゃべりはじめてみんなから注目されたら、またあがっちゃうかも」

ということです。

あがり症というのは、自分で自分のからだをコントロールできません。人前で顔が真っ赤になって、全身に汗をかいてしまうというのは、当人にしかわからない苦痛です。そしてとにかくカッコ悪い。

そんな恥ずかしい姿をさらすくらいだったら、自ら目立つような行動をしないようにするのはごく自然な防衛本能だと思います。

あがり症をはじめとする、**内向型タイプの人は、普段から会話を練習する機会を自ら封印してしまっている**といえるでしょう。

内気な性格でも会話がうまくなるコツとは？

では、性格を直さないとまともに会話もできないのでしょうか。

そんなことはありません。

私もずっと、自分の性格を変えることばかりを考えてきましたが、そう簡単に変えることなどできませんし、それなりの時間と労力もかかります。

もちろん、性格を変える努力をすることは否定しませんが、努力のわりには報われない現状も知っているだけに、人にはすすめません。

むしろ、**性格を変えないでもとのままでいたほうがいい、というのが私の持論**です。

詳しくはこのあとの章でもお話ししますが、性格と会話のうまさとは無関係なのです。どんなに地味でおとなしい性格でも、上手な会話ができる人もいます。

会話力をアップさせるのに今の性格を変える必要はない

逆にいうと、明るくておしゃべりな性格の人でも、会話下手もいるのです。

ということは、性格を変える努力をすることなく、会話が上手になる方法を知るほうが圧倒的に近道だということです。

自分は口下手でうまくしゃべれないから会話が苦手……、そんな人も大丈夫です。**会話はしゃべりが下手でも問題ありません。**

これは私もそうでしたが、口下手の人というのは、きちんとしゃべるということに、人一倍意識を集中してしゃべります。言い間違えずに、流暢(りゅうちょう)にしゃべることが正しいのだと思い込んでいたのです。

でもその結果、言葉に心が入らずに、うわべだけのセリフになってしまって、かえって相手に伝わりにくくなっていました。

会話には、正確な言葉づかいよりも、もっと大切なことがあるのです。

それは、**いかに上手に「伝える」かではなく、目の前の相手に対して、どうやったら「伝わる」かを徹底的に意識する**こと。そうすれば、どんなに口下手で内気な人でも、うまく会話ができます。

会話上達の予備知識

3

会話のうまさと性格とは無関係。今のままでも会話力はアップする

要するに会話ってなに？

会話とは言葉のキャッチボールである

あなたは実際のキャッチボールをしたことがありますか？

私の子供のころは、よく家の前で弟とやっていました。また学校の休み時間にも校庭でやっていましたし、社会人になってからも、ビルの屋上で同僚とキャッチボールをしていました。

ボールを投げて捕るという単純作業の繰り返しなのですが、なぜか楽しい気持ちにさせられます。

あの楽しさはなんなのでしょうね。

会話もキャッチボールと同じだと考えると、本当はもっと楽しいことであるはずです。

楽しい会話とリズムのいいキャッチボールは同じ感覚

ところが、**会話が苦手だったり苦痛を感じていたりするというのは、そもそもキャッチボールになっていないからではないか**と思うのです。

もう一度、ボールを使ったキャッチボールを思い浮かべてください。

自分が投げたい球ばかり投げても、それを相手がうまく捕れなければキャッチボールにはなりませんよね。

まず、お互いに軽く投げ合ってみて、相手の力量をはかり、それから徐々にペースを上げるようにしていくと、楽しいキャッチボールになります。

会話も同じです。

どちらかが一方的にしゃべりまくっても、たとえそれがどんなに面白い話だとしても、会話としては成立しません。

言葉を投げたら、相手に受け止めてもらう。そして今度は相手の言葉を受け止める。それの繰り返しが会話です。

ですから、「話し方」だけでなく、「聞き方」とセットで使わなくてはいけないのです。

あなたが会話をする目的はなんですか？

会話について、もうひとつ確認しておきたいことがあります。

あなたが上手な会話をしたいとするならば、その目的はなにかということです。単なる時間つぶしのために会話力を身につけたいのではないはず。

そもそもあなたはなんのために会話をしたいと思ったのかを、ここであらためて考えてみてください。

たとえば、

- **友だちと仲よくなりたい**
- **会社のなかでみんなと気軽に話をしたい**
- **お客さんと親しくなりたい**

などの目的があるとします。
おそらくあなたの目的もこんな感じではないでしょうか。
そして、これらをさらに深く掘り下げることで、

- **友だちから軽く見られているのが嫌だ**
- **会社のなかで孤立しているのが耐えられない**
- **営業で売り上げを伸ばしたい**

というような、真の目的が見えてくるのです。
つまり**会話とは、あなたの目的や欲求を満たすための手段**ということになります。いかがでしょうか、あなたがこの本を手に取った本当の理由を、しっか

りと思い浮かべてください。

本書ではそれを前提に話を進めていきます。

どうすれば上手にしゃべれるかということよりも、どのような会話をすれば目的を達成できるか。

そしてあなたの希望がかなうことが、私の目的です。

では次章から、具体的な内容に入ります。

会話上達の予備知識

4 会話にはそれぞれ目的がある。その目的を意識してみよう

せっかく話しかけてくれたのに……

口下手な人間というのはいろんなところでチャンスを逃しているものです。

中学校の卒業式でのこと。体育館での式典の最中に、となりに座っていた女子が私に話しかけてきました。

「これ墨？」

私の制服のズボンのもものあたりについたシミを、指でさして聞いてきたのです。いきなりだったので、「うん、墨」とだけ返事をして黙っていました。

彼女はほかにもなにかいいたそうでしたがそれっきりでした。

また、高校の修学旅行で山口県の萩(はぎ)に行ったときも似たようなことがありました。おみやげに萩焼の茶碗を買って店を出ようとしたときに、クラスの女子が店に入ってきて「それ茶碗？」と私の手元をさして聞いてきました。

私は「うん、茶碗」とだけ答えてそのまま店をあとにしました。

彼女たちが会話のチャンスを作ってくれたことはわかっていましたが、それに答えられない自分がとても歯がゆかったのを今でもおぼえています。

第1章

まずは会話の基本を知るところからはじめよう！

どうやら会話に苦労しない人には
共通点があるらしい。
知りたいですよね。
それっていったいどんなこと？

5 二人きりで気まずい……でももう大丈夫！

やばい！　なにか話をしなくては！

学生だったころ、男女の仲間5人で一緒に電車に乗っていたときのこと。

みんなで談笑していたのですが、ある駅に着いたところで3人が降りていきました。残されたのは私と女性の二人だけ。

超内気だった私は、もちろん超奥手。女性と二人で会話などしたこともありません。ふつうでしたら喜ばしい場面なのでしょうが、当時の私にとっては、これは拷問に近い状態です。この場をなんとかしてしのがないと……。

相手はなんだかつまらなそうにしています。

「なにか話をしなくては！」

私は頭のなかをフル回転させながら、懸命に話題をひねり出そうとするのですが、まったくでてきません。でるのは冷や汗だけ。結局もじもじしながらにも会話ができずに、彼女は「じゃあ」といって自分の駅で降りていきました。正直ホッとしましたが、でもそんな自分の不甲斐なさが嫌になりました。

会話が苦手という人なら、ここまではないにせよ、似たような経験があるのではないでしょうか。


さて、そんな私でしたが、今では会話に苦労をしなくなりました。たとえ電車のなかで女性と二人きりになったとしても、以前のように気まずい思いをすることもありません。もちろん、そんなに饒舌(じょうぜつ)に話をすることはありませんが、適度に和(なご)やかに気持ちよく会話ができるようになりました。

すると、「ずいぶん会話の練習をしたんですね」といわれたりしますが、実際には違います。ほとんど練習などしていません。

さらに、性格も昔と変わらずに、内気で口下手なままです。

そんな私のような人間でも、コツさえつかめば、誰とでも気軽に会話をすることができるようになります。

会話の基本は、相手を中心に考えること

かつての私も含めてですが、会話で悩んでいる人には共通点があります。それは、自分がいかにしゃべるかということに意識が向きすぎているということです。

●どうしたら上手にしゃべれるのか？
●どんな話題なら盛り上がるのか？
●どういう話し方をすれば会話が続くのか？

なんでもかんでも自分主導でやらなくてはと考える傾向があります。

私も、自分のスキルを磨くことで解決すると思い込んでいました。ところが、そうではありませんでした。会話の基本は、すべて相手を意識することにあったのです。

●どうしたら相手がしゃべってくれるのか？
●どんな話題なら話してくれるか？
●どういう聞き方をすれば相手が話しやすいか？

そもそもどんなに会話が盛り上がったとしても、自分だけが気持ちよくなって、相手に不快な思いをさせていたとしたら、それはよい会話とはいえません し、あなたもそんなことを望んではいないでしょう。

もしあなたが、これまで自分にばかり意識を向けていたのなら、ためしに相手側にそれを向けてみてください。

この章では、そんな会話の基本についてお話ししていきます。

会話の上達ポイント 5

会話の基本は、自分ではなく相手に意識をシフトすること

6 しゃべり上手が会話上手というのは大きな勘違い

もうしゃべる練習はやめてもいいんですよ！

あなたは話し方教室に行ったことがありますか？

私は一度だけあります。そこでやった（やらされた）のは、見ず知らずの他人と楽しく会話をするというもの。とにかく笑顔で話しなさいといわれるので、しかたなく笑顔を作りました。

私の顔が引きつっていたのはいうまでもありません。それでも会場は大きな笑い声で満ちていました。

「どうですか、会話って楽しいでしょ！」

講師からそういわれても、私は内心とてもつまらなくて苦痛だったのをおぼえています。

もちろん、すべての教室がそうではないでしょうが、少なくとも私が経験したのは、「?・」な感じでした。

今ならなぜその教室がしっくりこなかったのかがわかります。

私が身につけたかったのは、上手にしゃべる方法ではなく、気持ちよく会話ができる方法だったのです。たとえどんなにしゃべりが洗練されたとしても、そこに苦痛が伴うのでは意味がありません。

アナウンサーになろうというのなら、上手にしゃべる練習をするべきでしょうが、そうではなくて一般の会話を上達させたいのなら、もうしゃべる練習などしなくてもいいのです。


そもそも、ふつうに言葉をしゃべれて意味が相手に伝わるのなら、それでしゃべる目的は達成できますよね。友だち同士の会話で、多少いい直したりしたとしても、いちいち気に留めたりしないはずです。

話のプロでもない以上は、間違えないようにきちんとしゃべることなど、それほど重要なことではありません。

口下手営業マンが売れる理由

たとえば、営業という仕事は、一般的に上手にしゃべれなければいけないと思われがちです。それは営業マン自身もそう思っていることが多く、とくに売れない営業マンほど、商品説明をきちんと話せるようになるまで、時間をかけて練習したりしています。

でも実際には、しゃべりのうまさと営業成績は関係ありません。

考えてみてください。あなたが商品を買うときに、営業マンのしゃべりが上手だから買おうと思うでしょうか？　買う動機としては、説明のうまさよりも商品自体をほしい気持ちになるかどうかで決まりますよね。

つまり売れる営業マンは、自分がいかに上手にしゃべるかよりも、いかに相手に商品をほしいと思ってもらえるかに意識を集中しているのです。

自分よりも相手を見ています。

お客さまとしても、自分にピッタリの説明をされると、それがたとえ口下手な営業マンだったとしても、やはり買いたくなるのです。

じつは私もかつて売れない営業マンだったころは、いつもセールストークの練習をしていました。口下手だから売れないんだと思い込んでいたからです。

しかしどんなに練習しても売れませんでした。

ところがあるとき、開き直って少しくらい言葉につまってもいいから、きちんと相手に届く説明をしようと心がけるようになったところ、売れはじめたのです。

私はそのとき気づきました。お客さまは上手な話を求めているのではないということに。

これは、普段からの会話でも同じことがいえます。

しゃべり上手と会話上手は関係ありません。ですからもう上手にしゃべることばかりにとらわれるのはやめましょう。

会話の上達ポイント 6

上手にしゃべる練習をやめれば、会話はもっとうまくいく

7 苦手なら無理にしゃべろうとしなくていい

お互いに疲れる会話はもうやめよう

会話を苦手としている人の傾向として、自分からしゃべらなければいけないと思っているところがあります。

私もずっとそうでしたから、その苦悩はわかります。

まわりがしゃべっていて自分だけが黙っていると、それだけで気まずくなりますよね。そして、自分もなにかしゃべらなければと懸命に言葉を探します。

しかしそうすると、まわりの人がいっている言葉が耳に入らなくなってしまい、ますます話題から取り残されてしまいます。

結果、なにもしゃべっていないのですが、頭のなかはフル回転しているので、ドッと疲れてしまうのです。

まわりの人には「なにも考えてなくてボーっとしている人」と見られがちですが、実際にはものすごく考えているけれど単に言葉にしていないだけだったりします。

そんな言葉がでない原因のひとつとして、「慎重な性格」というのもあります。

相手の気持ちを気にしすぎるあまりに、言葉選びに時間がかかるのです。

自分の性格を曲げてまでしゃべろうとすると、やはり無理がでてしまうでしょう。

いかがですか、あなたは無理をしてまで会話をしたいですか？

相手の立場になってみると、苦しそうにしゃべりかけてくる人に対して、どう思うかということです。まあ頑張っているのは認めるけれど、逆に気を使ってしまいますよね。

そう、無理をしていると、自分が疲れるだけでなく、相手までも疲れさせてしまうのです。それはあなたが望む会話ではないのは明らかです。

では、苦手な人が無理をしないで、どうやって会話をするのでしょうか。

リラックスしながら会話をするには

そもそも会話で苦労している人が、リラックスしながら会話ができるようになるなんて、おそらく今の時点では想像ができないと思います。

私もずっと「会話はいつもしんどいものだ」と思って生きてきましたが、あるときを境に楽に会話ができるようになったのです。

その秘訣とは？　これはあとの章で詳しくお話ししますが、一言でいうと「自己開示」です。自分の本来の姿を自他ともに認めることができたときに、リラックスした会話が可能になります。

本来の姿でいられるというのは、当人の一番ニュートラルな状態です。当然ストレスを感じることなく、無理をしないでいられます。

相手と自分、お互いに落ち着いた会話ができて、気持ちのよい状態でいられるのが理想です。そしてそれは誰にでも可能です。

せっかくですから、あなたもそんな会話ができることを目指しましょう。

会話の上達ポイント 7

まずは話していて自分が疲れない状態を意識しよう

私が考える理想の会話とは、ペラペラとしゃべりまくることを目的にするのではなく、少ない言葉でも相手と心が通い合えるものと定義しています。

極論すると、しゃべらなくても落ち着いていて、一緒にいても苦にならない状態が理想の会話（？）だと思っています。

たとえ頑張って会話をして、その場はなんとか乗り切ったとしても、それをずっと続けるというのは、やはり不自然です。不自然なことは、いつかどこかでボロがでます。

そのためにも、努力すべきことは、しゃべりを上達させることよりも、人と一緒にいるときに、どうしたら自分を平静の状態に保ち続けられるかに意識を向けることなのです。会話は自然であるほど、よい結果につながります。

ぜひ、無理をしない会話を心がけるようにしましょう。

8 会話の基本はまず「聞く」ことから

相手の話を聞くだけでいい

会話は無理をしないこと。そのひとつとして、「話さなければ」という意識を「聞くだけでいい」にシフトしてみましょう。

聞き上手というのも立派な会話上手なのです。

なにより、話すよりも聞くほうが楽ですからね。まあ、なかにはしゃべるほうが楽だという人もいるでしょうが、この本の読者にはそんな人は少ないだろうと想定しています。

何度もいいますが、会話は言葉のキャッチボールです。相手がしゃべった言葉を聞くだけで会話は成立します。なにも相手と同じ数の言葉で応じる必要はありません。

無理やり話そうとしなくても「聞く」だけで会話は成り立つ

「相手が話す」→「聞く」→「相手が話す」→「聞く」……

この繰り返しでOKです。これなら簡単にできそうですよね。

そして、なによりも会話の基本というのは、この「聞く」ことなくしては成立しません。話すことよりも、聞くことのほうが重要なのです。

想像してみてください。お互いのいっていることを聞かずに、いいたいことだけしゃべり合っている状態っていかがでしょうか。

それがどんなに上手なしゃべりであ

ろうとも、どんなに面白かろうとも、相手が聞いていなければ会話ではありません。それは単なる独り言です。

しゃべっていることを聞いてくれない相手に対してどんな感情になるかというのも、容易に想像できるでしょう。

そうです、マイナスの感情です。

「この人は、私の話を全然聞いてくれない」

「なんて自分勝手にしゃべる人なんだ」

そんな人と、会話を続けたいと思いませんし、今後も仲よくしようとは思わないはずです。

まずは、相手の話を聞くこと。会話はそこからスタートです。

相手に好感を与えるのは話すよりも聞くこと

聞くことが大切だというけど、聞いているだけではなにも伝わらないのでは？

そんな疑問がわいているかもしれませんね。

でも、考えてみると、一般の会話というのは、なにかを伝えるためだけに行なうものではありません。多くの会話は、話の内容にそれほど意味がなかったりもします。

もちろん、議論をしたり相談したりという目的が明確な会話もありますが、会話で困るケースというのは、伝えることよりも、場を和ませるとか親睦(しんぼく)をはかるということにウエイトが置かれていることが多いものです。

あなたが会話を上達させたいと思ったのも、友だちや同僚と仲よくするためだったり、お客さんと親しくなりたいと考えたからでしたよね。

だとすると、会話をすることで、相手に好感を与えることができれば、たいていの目的は達せられるはずです。

そう考えると、こちらから一方的に話をする人よりも、相手の話を興味深く聞く人のほうが、相手も好感をもってくれるでしょう。

そうです。なにも伝わらないわけではないのです。

会話の上達ポイント 8

相手の話を「聞く」姿勢が、よい会話の条件になる

「この人と話をしていると気持ちがいいなあ」
「こんなに興味深く聞いてくれるなんて、とても感じがいい人だな」
きちんと聞くことで、このような大きな効果が得られます。「聞く」というのは大切なコミュニケーション能力のひとつなのです。

会話を上達させたいと思うのなら、まずは相手の話を聞くことの重要性を意識しましょう。

きっとこれまで以上に、相手と親しくなれるはずです。

黙ってうなずくことの効果を知ろう！

しゃべらなくても会話は成り立つ

さて、聞くことが大切だということがわかりました。

ではどのように聞けば、さらに効果が高まるのでしょうか。

単に無表情で聞いているだけでいいはずがありません。それではかえってマイナスになってしまいます。聞き方にもコツがあるのです。

ポイントは、相手の話になんらかの反応を返すこと。

まず、相手の話に対して、なにも言葉を発しなくても、うなずくだけでかなりの効果があります。あなたの話をきちんと聞いていますよ、という合図を送るということです。これも一種の返事です。

小さくても反応があるだけで、話し手は安心して続けることができます。

ちなみに、私は講演などで大勢の前で話をする機会があるのですが、そのときも、会場の人のうなずきにとても助けられています。そしてうなずいてくれる人に好感をもつようになります。

黙ってうなずくだけなら、どんなに会話が苦手な人でも簡単にできるので、ぜひこれからは意識して行なってください。

そのうえで、「なるほど」とか「へえ～」などの簡単な相づちの言葉を添えると、もうそれだけで会話は成立します。

きちんと相手の話に集中すれば、自然に反応できるはず。

じつは、会話が弾まない人の多くは、話が下手なのではなく、このようなリアクションが薄いということがあげられます。一生懸命に話をしていても、相手の反応がなかったりすると、それ以上話したくなくなります。当然、会話も途切れてしまいます。

自分ではしっかり聞いているつもりでいても、それが相手にわかるような反応をしていなければ、会話は弾みません。

あなたの話をちゃんと聞いていますよ！　というリアクションをいつもより大きめにしてみることをおすすめします。

軽い言葉より「沈黙」のほうが上

相手の話に対して、もっと言葉でリアクションしたほうがよいのでは？　と思った方もいるでしょう。もちろん、それに越したことはありませんが、言葉ならなんでもいいと思ったら大間違いです。

「昨日、東京スカイツリーに行ったら、ちょうど台風が来ちゃってさあ」
「え、スカイツリーに行ったんですか。私はまだ行ったことがないんです」

この受け答え、ピントがずれているのはわかりますよね。

相手の話に合わせようとしているのでしょうが、かえってマイナスになっています。

この話し手がなにをいいたいのか、それがまだわからないうちは黙って次の

セリフを待つのが得策です。すると、先ほどの話は、

「昨日、東京スカイツリーに行ったら、ちょうど台風が来ちゃってさあ」
「……」（それで？　という表情で次の言葉を待つ）
「結局、展望台にも上れなかったよ」
「それは残念でしたね」

このように相手の話したいことに沿った受け答えになります。

焦ってなんでも言葉で返そうとしなくてもいいんです。じっくりと沈黙して、相手の次の言葉を待ちましょう。

「……」という無言も会話の一部なのですから。

適度なリアクションで相手に気持ちよくしゃべってもらおう

あなたが会話の必要性を感じるのはどんなとき？

コミュニケーション不足が原因

飲み会の席、昼休みのオフィス、上司と一緒にタクシーに乗るとき……。

私はいつも思っていました。

「うまく話ができたらどんなに楽だろうか」と。

どうしてもスムーズな会話ができずに、場の空気を重くしてしまう自分が本当に情けなかったです。

スラスラとその場に合った話が瞬時にできる人が、うらやましくてしょうがありませんでした。あんなふうに話せたらなあ〜。

あなたはどんなときにうまく会話がしたいと思いますか？

私は人と一緒にいるすべての場面で、そう思っていました。

逆にいうと、誰かと一緒にいるときには、ほとんどの場合がストレスを感じていたのです。

ではどうして会話をしなければならないと思うのでしょうか。

よく考えてみると、会話がしたいというのは表面的な目的で、その真意は別のところにあるようです。

それは、その場にいる人たちと馴染みたいときや、仲間として認められたいとき、さらには気まずい空気をやわらげたいときなど。一言でいうと、人とスムーズにコミュニケーションをとりたい気持ちが、会話をしたい理由になっています。

では、比較的仲のよい人と一緒にいるときは、会話の必要性を感じるでしょうか？　おそらくそれほど感じないはずです。

たとえ、その人と二人きりになって、しばらく沈黙が続いていたとしても、なにか話さなきゃなどと焦る気持ちにはさほどならないでしょう。

相手によって、会話の必要性が違ってくるのです。

会話しづらい相手といかに話すか

あなたが頑張って会話をしなければと思っている相手というのは、そもそも普段から会話をしづらいと感じている人です。

もともと話しやすい相手に対しては、どう会話をするかなどは悩まないはずですからね。

ちょっとまわりを見渡してみてください。話しづらい人はいませんか？

ひとりや二人はいると思います。いつも一緒にいるけれど、あまりしゃべったことがなくて、どう話しかけていいのかわからないような人。

そのような人とあなたの間には、見えない壁があります。コミュニケーションの壁です。それは相手の壁かもしれませんし、あなたが壁を作っているのかもしれません。

いずれにしても会話をしようとする以前に、その壁を取り除かなければなにもはじまらないのです。会話がうまくいかないと感じている人は、多くの場合、その壁ごしに話をしようとしています。それではどんなに上手な会話ができても効果がでないでしょう。

こうしてみると、会話の上達を目指すには、言葉のテクニックを磨くよりも、人間関係を重視しなければいけないというのがわかります。

コミュニケーションの壁を取り除く方法については、あとの章に詳しく書きました。

ここではまず、会話がうまくいかない理由のひとつとして、壁の存在があることをおぼえておいてください。

会話の上達ポイント 10

コミュニケーションの壁は言葉のテクニックでは越えられない

11 口下手でも人に伝える方法はたくさんある

五感を使って会話をしよう

会話をするにしても、なにもすべて言葉でやりとりする必要はありません。

前にもお話ししましたが、かつて私は売れない営業マンでした。

口下手であがり症が原因で、お客さまとうまく話ができなかったためです。

最初はうまく話そうとばかりしていました。言葉で伝えるしかないと思い込んでいて、結局、なんの成果も出せずじまいでした。

しかし、あるとき気づいたのです。

言葉だけに頼らなくてもいいのではないかということに。

私は、伝えたいことをなにか別のものに置き換えられないかと探しはじめました。

今までしゃべって伝えていた（実際には伝わっていなかった）ことを、データやアンケート、新聞記事、表やグラフなどで見せるようにしたのです。

いつしか私は、いかにしゃべらずに伝えるかということに注力しはじめました。

すると不思議なことに営業成績が伸びはじめて、瞬く間にトップ営業マンになってしまったのです。

口下手でしゃべるのが苦手なら、しゃべる以外の方法でも伝える手段はあるのだと知りました。

私は今でも話をするときには、できるだけ言葉以外のものを使いながら伝えるようにしています。

講演などで自己紹介をするときも、子供のころの写真を見せながら話しますし、事例の話をするときには、できるだけ現物を見せるように心がけています。そうしたほうが、圧倒的に伝わるからです。

普段の飲みの席などでも、飼っているネコの写真を黙ってスマホで見せるだ

言葉だけで会話しようとムリをしない。五感を使う会話を心がけて

けで人が集まってきますよね。

意識すべきは、五感を使うこと。言葉である聴覚だけでなく視覚や触覚なども併せることで、より伝わりやすくなるのです。

言葉は意外と「軽い」存在である

なぜ視覚や触覚などを併用すると伝わりやすくなるのか？

ここでも営業でのことを例にします。

話のうまい営業マンのセリフが、どれだけお客さまに信用されているのかというと、じつは話半分程度にしか思われていません。

多くの場合、営業マンの言葉は「軽く」見られています。

逆の立場で考えてみてもわかると思いますが、営業する側のいっていることをすべて鵜呑(うの)みにしていたら、いわれるままになんでも買わされてしまうでしょう。

お客さまは、つねに防衛態勢をとっていて、おいそれと甘い言葉にダマされないぞと思っています。

ですからセールストークなどは、最初からまともに聞いてはくれないのです。

ここでも勘違いが起こっているのですが、自分がしゃべった言葉をすべて相手が聞いているかというと、そんなことはありません。

もっというと、しゃべれば伝わるというのも幻想です。

いくら上手にしゃべっても伝わらないときは伝わらないのです。

これは、営業の場面でなくても、似たようなことがいえます。

普段の会話でも、相手の話をボーっと聞きながら、頭のなかでは別のことを考えていたという経験は誰にでもあるでしょう。耳には入ってきているけど、実際には聞いていないということ。その意味でも、言葉はすべてではありません。

言葉だけに頼る必要もないのです。同じことを視覚的に伝えたほうがはるかに正確に、そしてスピーディーに伝わります。

もちろん、本書は会話の本ですが、最終的にはコミュニケーションの本だと思っています。

より的確な人間関係を作るためには、言葉以外のものも使ったほうがいいのだということを、知っておいてください。

会話の上達ポイント 11

会話は、聴覚だけでなく、視覚や触覚もフル活用しよう

これだけは間違えてはいけない！

たまに気を使って話しかけたときに限って、なぜか裏目にでてしまうことってありますよね。

会社で残業をしているときに、先輩と二人きりになったことがありました。普段はお互いにほとんど口をきかないので、この機会に話しかけようと思ったのがそもそもの間違いでした。

「望月さん、今日も残業ですか、大変ですね～」

「……あ、うん、明日の企画がもう少しだから」

「そうですか。望月さんの企画は僕も楽しみにしてるんですよ」

「あ、そう。……ところでさ、望月って誰よ。俺、森口なんだけど」

つい緊張して名前を呼び間違えてしまったのです。しかも何度も。すぐに謝りましたが、露骨に不快な顔をされました。それ以降、その先輩とは打ち解けることができませんでした。

余計なことをして、大失敗してしまった痛い経験です。

第2章

会話上手が当たり前にやっていることって意外と単純

あの人ってホント会話上手だなぁ！
あなたもちょっとした心がけで
その仲間になれるかも。

12 人が話をしたらリアクションをする

会話上手な人のワンパターンな行動

私は滅多に行くことはないのですが、たまに友人のパーティ・イベントに誘われることがあります。

そんなとき、私はまわりの人を観察することにしています。

みんなどんな会話をしているのか、そしてどんな会話が弾むのか。

会話がうまくて、いつもまわりに人が集まっているような人の言動を、つぶさにチェックするのです。

すると、盛り上がっている会話というのは、意外と単純なことを繰り返しているパターンが多かったりします。もちろん、ふつうに話をしていても気づかないレベルですが、会話が上手な人ほどシンプルに行動しているようなのです。

たとえば、人がなにかを話したら必ずリアクションをすること。

しかもプラスのリアクション。

「え、そうなんですか！　すごいですねえ」

「なるほど、それは知りませんでした」

「へえ〜、その話をじっくり聞かせてくださいよ！」

おそらく当人は無意識にやっているのでしょう。しかし意識して観察していると、このように相手の気持ちがプラスになるような言葉を使って、どんどん話を盛り上げているのがわかります。

決して相手の言葉を否定したり、反論したりもしません。たまに相手がマイナスのことをいったとしても、最後はプラスのリアクションに変えたりもしています。


「いやあ最近、仕事が減ってしまってヒマなんですよ」

「たまにはいいじゃないですか、今まで忙しかったのですから」

「まあ、そうですけどね」

「それに、また新しい仕事の企画がじっくり立てられますしね」

「いわれてみればそうですね！」


相手の表情を見ていても、このようなリアクションをされるたびに気分がよくなって、楽しそうに話しているのがよくわかります。

心から相手の話を楽しむだけでいい

そしてさらに注意深く観察していると、驚くべきことがわかりました。

会話上手だと思っていた人ほど、自分の話をほとんどしていないのです。

やっていることは、相手の話を中心にして、リアクションしたり、それについて質問しているだけ。自らの話はおまけ程度に止めて、あとは相手側の話のみで会話をしていました。

たったそれだけで、会話はとても和やかに弾んでいたのです。

これなら、話題や知識がなかったとしても、そしてどんな相手とも会話ができると思いました。もちろん、上手な話などできなくてもいいのです。

簡単ですよね。では、なぜそれだけのことで会話が弾むようになるのか。

そこには、もうひとつのコツがありました。

相手に気持ちよく話をしてもらうためにリアクションが必要だというのは、もうおわかりだと思います。それをもっとも効果的にするためには、心からリアクションすることです。

相手の話に100%集中して、その話を心から楽しむこと。そうすれば自然にリアクションができます。相手の話に興味をもてば、自然に次々と質問ができます。この「自然に」行なうリアクションこそが、相手の好反応を引き起こす決め手になるのです。

ぜひ、今度試してみてください。

会話の上達ポイント

12 相手の話に自然なリアクションをすれば、相手は心を開いてくれる

アドリブがうまい人には特徴がある

弾む会話ができる人って、天性の素質なの？

どんな相手とでもすぐに打ち解けられる人っていますよね。

アドリブでポンポンと話題を出して会話を盛り上げて、誰とでもアッという間に親しくなってしまうようなうらやましい人。

かつての私の先輩がそうでした。初対面の人ともすぐに意気投合して親しくなってしまうのです。私もよく客先に連れて行ってもらったので、その神業(かみわざ)のような話術をいつも見せつけられていました。その即妙(そくみょう)さは、とても計算しているとは思えません。やはり天性のものなのだろうと思っていました。

ところがあるとき、その先輩の話し方にはあるパターンがあることに気づきました。それは、私が先輩と一緒に客先に向かって歩いていたときのこと。

「へえ〜、こんなところに懐かしい駄菓子屋さんがありますね〜」

「おお、ホントだ、懐かしいなあ」

私がふと目にしたお店のことを口にしたところ、先輩も会話に乗ってくれたのです。それからひとしきり子供のころの思い出話をしながら客先に到着しました。

はじめて訪問するお客さまとひと通りあいさつをすませると、先輩はいきなりそのお客さま相手にこんな話題を切り出したのです。

「**ところで、今、駅から歩いてきたのですが、途中で懐かしい駄菓子屋さんを見つけましてね**」

「ああ、ありますね。懐かしいですよね」

「**子供のころは、よく買いに行っていましたね〜。まだあるんですね、ああいう店が**」

「ははは、私もときどき立ち止まって眺めることがありますよ」

このように最初から会話が弾むのはいつものことですが、それよりも先ほど私が見つけた駄菓子屋の話をすぐに使っていることに驚きました。

その後も何件かの客先を一緒に回りましたが、どこでも同じように歩きながら気づいたことを話題にしていたのです。

もしかしたら、アドリブではなくてパターンとしてやっていた!?

まわりを観察するのがコツだった

それを先輩に聞いてみると、

「そうだよ。途中でなにか話題はないか探しながら歩くようにしているんだ」

気づいたことや、ちょっと珍しいこと、個人的に気になったことなどを観察しながら見つけて、それを話題にしているとのこと。

さらにその使い方のコツを聞いてみると、先輩はふたつ教えてくれました。

まず、気になったことを気持ちのままに伝えるということです。素朴な疑問や感想などを添えて話します。

先ほどの例ですと、単に「駄菓子屋さんがあった」というのではなく、「駄菓子屋さんが懐かしい」という感じです。こうすることで、感情で会話をすることができるので、お互いに親しみやすくなるのです。

もうひとつは、行動するときは時間にゆとりをもつということです。

時間を気にしながら急いでいては、まわりを観察する余裕などありませんし、気持ちも焦って緊張してしまいます。それではよい印象を与えられません。逆に時間が余っていると、途中で足を止めたり寄り道することもできるので、より細やかな観察ができるようになります。

このように、最初の話題を慎重に見つける作業をすることこそが、初対面でも会話が弾むコツでした。今度ぜひやってみてください。

会話の上達ポイント 13

アドリブに見えることでも、会話上手はきちんと準備している

14 話を深く掘り下げる聞き方の極意

口下手な私がどんどんしゃべりだしたわけとは？

会話上手な人の職業としては、インタビュアーがあげられます。

いろんな人に取材をして話を聞く仕事です。相手が初対面の場合も多いうえに、取材されることに慣れていない人もいるので、会話のうまさが求められます。

また、相手の魅力を引き出すには、本音でしゃべってもらうことも必要です。しかも決められた時間内できっちりと。

私は雑誌の取材などでインタビューされることがたまにあります。

自分でいうのもなんですが、普段から口が重い私をしゃべらせるのは、さぞかし大変な作業だと思います。

ところが先日、自分でもびっくりするくらいにしゃべったことがありました。

予定時間がすぎても、まだ話し足りない感じで次々と言葉がでてきたのです。気がつくと、普段はいわないことまで口にしていました。正確にいうと、うまくしゃべらされてしまったのです。

「最初は売れない営業マンでした」

「え、そうだったんですか。どれくらい売れなかったんですか？」

「約半年間、売り上げゼロでした」

「それはきついですね〜」

「はい。もう辞める寸前でしたね」

「でも、辞めなかった」

「そうですね。ここで辞めたら逃げ出すみたいで嫌だったんです」

こんな調子です。インタビューだからといって、質問攻めにしていないところに注目してください。

おそらく本当は、質問する場面ではあるのでしょうが、あえて聞かずに相手が自然にしゃべるように誘導しています。

すると、同じ答えになったとしても、しゃべっている人の気持ちが違ってきます。聞かれたことに答えるときよりも、自主的にしゃべっているほうが、明らかに気持ちが乗ってくるのです。

質問ではなく、「それで?」という感じに話を促す聞き方が絶妙な人でした。

先読みされると、誰でも口が重くなる

逆に、別の取材を受けていて、まったく気分が乗らないときもありました。

「約半年間、売り上げゼロでした」

「そうだったんですね。そうすると、社内でも居心地が悪かったのではないですか? 上司からはなにもいわれなかったんですか? よく辞めませんでしたね」

「それで？」など“促す”聞き方で、相手に気持ちよく話してもらおう

「はい。辞めませんでした」
「なるほど、まあ売れないまま辞めると、なんだか逃げ出すような感じになってしまうからとか、そんな感じでしょうか？」
「そうですね」

内容は前の人と同じなのですが、インタビュアーが私の答えを全部先読みしていってしまうので、私としてはイエスかノーで答えるだけになっていきました。

こうなると、私のほうからもっと話そうという気になりません。もともと重たい口がどんどん閉じていきました。会話がつまらないのです。

人は「事実」をそのままいうときよりも、自分の考えや判断のしかたなどの、「気持ち」の部分に関してしゃべるときに、心地よさを感じます。それを相手が興味深く聞いてくれるほどに、どんどんしゃべりたくなるものです。

話を掘り下げるときは、相手の「気持ち」にフォーカスして、それを自らしゃべってもらえるように、興味をもって「促す」ことを心がけるとよいです。

相手に気持ちよくしゃべってもらいましょう。

会話の上達ポイント

14 聞きたいことは、質問するのではなく「それで？」と促そう

15 徹底的に聞き役になることを心がける

悩みを相談したい人ってどんなタイプ？

もしあなたが、悩みを誰かに相談したいときに、最初に思い浮かべるのはどんな人でしょうか。

私なら、まずこちらの悩みをじっくりと最後まで聞いてくれる人を選びます。まだ相談ごとを少ししか話していないのに、先に懇々とアドバイスされても言葉は耳に入ってきません。

その悩みに関して詳しいかどうかも、もちろん重要ですが、それ以上に自分の話をじっくりと聞いてくれる人に相談したいと思います。

あなたはいかがですか？

そもそも人の悩みというのは、ある程度は自分で答えがでていることが多かったりします。相談することで、最後の決断をしたり、背中を押してもらいたいと思っているのです。

もっというと、話を聞いてもらって「なるほど、それは困ったね～」と同調してもらうだけでもスッキリしたりします。

じつは会話をしていて気持ちのいい相手というのは、まさにそんな聞き上手な人なのです。決してしゃべり上手ではありません。

とにかく相手の話を徹底的に聞く人こそ、相談したいタイプでしょう。

ずっと一緒にいられる存在を目指そう

彼はいつも楽しいんだけど、ずっと一緒にいるとなぜか疲れる。

あなたのまわりにもそんな人がいませんか。

サービス精神が強すぎるあまりに、一緒にいる人には楽しい話を聞かせなければいけないと思っている人。でもそれは裏を返せば、つまらない人だと思われたくないという自分のための行為だったりします。

以前、私が新幹線に乗ったときに、たまたま同じ車両で知人と出くわしました。「やあ奇遇ですねえ」「どちらまで？」などと最初は話が弾んだのですが、しばらくすると私はとてもストレスを感じるようになりました。

通りすがりに知人と立ち話をする程度ならいいのですが、長距離の電車のなかでずっと一緒にいるとなると話は別です。

彼はよくしゃべる人で、東京から大阪までの間、ずっと私に話し続けていました。正直いって聞き疲れしました。帰りも待ち合わせしませんかといわれたのですが、時間が読めないとウソをついて断りました。

決して悪い人ではないのです。悪気もありませんし、よかれと思って話しているのはわかっています。

しかし、結果的に相手にストレスを与えているのも事実。そう、彼は楽しい人ですが、私にとってはずっと一緒にはいたくない存在でした。

ところが逆の立場で見てみると、彼は私に対して帰りも一緒にどうかと誘ってきました。彼にとって私はずっと一緒にいたい存在だったのかもしれません。

私がしたことは、ほとんど黙って彼の話を聞いていただけ。

さて、この場合、どちらが会話上手だったかというと、自分でいうのもなんですが、私ではなかったかと思います。

彼が話をしているときに、私がなにを考えていたかというと、

「つまらなそうな顔をしたら相手に失礼だ」

「ここは相づちを打つタイミングだな」

「疲れてきたけど、相手が気持ちよく話しているから合わせよう」

自分のことよりも、相手のことばかりを考えていました。

まあ、あまり自分の意思を曲げてまでするのもよくないとは思いますが、少しの我慢ですむのなら、彼に気持ちよくなってもらうことを優先したのです。

人から見て、話しやすいと思われるのも、ひとつの会話法だと思います。

会話の上達ポイント 15

相手に好印象を与えたいなら、聞き役に回ろう

16 過去の接点（記憶）を会話のきっかけにする

最初の会話の切り出しが肝心

私の友人で経営コンサルタントの人がいます。忙しい人なので年に1回会う程度なのですが、それでも会えばすぐに打ち解けることができます。ものすごく久しぶりに会ったとしても、不思議なくらいにすっと話ができてしまうのです。

これまでは、それが彼のキャラクターなのかなと思っていたのですが、会話の内容を意識してみると、彼が必ずあることをやっているのに気づきました。

「いやあ、こんにちは！」
「ご無沙汰ですね」

「そうですね～。この間会ったのは、たしか……」

「○○さんの出版記念セミナーだったと思いますけど」

「そうそう、そうでした。あのとき以来ですね」


このあと、しばらくは一緒に出席したセミナーの話になりました。

彼と話をするときには、いつもこんな感じで、最初から「どんな話をしようか？」と困ることがありません。

そして、最初のやりとりがスムーズにいくと、最後まで会話は気持ちよく回るようになります。

彼もそれをわかっているのでしょう。だからこそ、会話の導入のしかたを心得ているのです。

やっていることは単純で、過去の接点を話題にするというもの。

といっても、過去のすべての出会いを記憶しているわけではありません。

先ほどの会話のように、すぐに自分で思い出せなくても、相手に思い出してもらえば大丈夫です。また一緒に思い出す作業をすることで、それはそれで立派な会話が成立します。

彼はこれを（おそらく無意識でしょうが）やることで、久しぶりの人ともうまくコミュニケーションを築くことができるのです。

過去の話題から未来につなげるテクニック

過去の共通の話題というのは、世間話のなかでも一番会話になりやすいものです。なぜかというと、お互いのオリジナルの話題だからです。

誰でも知っていることよりも、ある意味で二人だけしか知らない内容なら、会話も弾むうえに、より親密に話がしやすいでしょう。

そしてひと通り過去の思い出話をしたら、次に彼はこう切り出します。

「ところで今はどんなことをやってるの？」

そうです、現在の話題にシフトするのです。これも過去を話題にしていたからスムーズに聞けます。

ここで自分との仕事の接点が見えてくれば、そのままビジネスモードに入っていきます。

「じゃあ、この先○○についての課題がでてきたらぜひ協力させてください」


彼はこのようにいつも未来へのチャンスを狙っています。

でも、会っていきなり「仕事をください」というわけではないので、相手としても嫌な気持ちにはなりません。

むしろ、この人になら仕事をお願いしたいと思うようになるのです。


このように会話上手な人というのは、単にその場を楽しむだけでなく、なにか目的を達成するためにも有効活用しています。

こういうと、なんだか下心があるように思われるかもしれませんが、彼は、そんな気持ちを少しも感じさせずにビジネスにもつなげられるのです。

だからこそ、人も仕事も集まってくるのでしょうね。

会話の上達ポイント 16

久しぶりに会う人とは、過去の話から入ろう

17 モノを使って見せる工夫をする

言葉を紙に書くだけでも効果大

1章の最後でもお話ししましたが、話をするときには言葉だけではなくて、モノを使うというのも、多くの人が実践していることです。

とくに会話が上手な人ほど、言葉だけに頼ろうとするのではなく、できるだけ言葉以外のものを使って伝える工夫をしているようです。

たまたま私の場合は、口でうまく伝えるのが苦手だったので、モノで伝えるように心がけていたのですが、それが会話そのものにも有効だったというのは、不幸中の幸いだったのかもしれません。

その例として、私が考案した「T・F・T・アポ取り法」という新規営業の手法があります。

これは簡単にいうと、T・EL→F・AX→T・ELの手順でアポ取りを行なうものです。

一般にTELアポというと、電話だけでアポイントを取るのが主流ですが、それにはある程度のトーク技術が必要になってきます。

私はそのトークがどうしてもできなかったので、苦肉の策でFAXを組み合わせたところ、想像以上に効果がでたのです。

アポイントが取りやすくなっただけでなく、電話でしゃべる量も激減したので、私のような口下手な人にとってはピッタリの手法でした。ためしに電話でしゃべる言葉の数を比較してみたところ、電話のトークだけで行なうときの1000分の1ですんだのです。

これも電話という聴覚だけで伝えようとするときよりも、FAXという視覚を使ったときのほうが素早く大量の情報を伝えることができたという例です。

その応用で、実際に人に会って話をするときにも、私はそのFAXチラシを持参して手渡しながら行なっていました。

しゃべりが苦手なら、言葉以外の「モノ」を使って会話しよう

今まで口で説明していたことを、紙に落としこむだけでも効果がでるのです。

伝えたいことは別のモノに置き換えられる

しゃべるというのは、人になにかを伝えることです。その本来の目的は、しゃべる行為そのものではなく、伝えることになりますよね。要は伝わりさえすればいいのです。

私はまず、誰かに伝えたいことがあるときに、なにか別のモノに置き換えられないかを考えます。言葉以外のなにかに。

自動車を例にしてみましょう。

「ボディは鮮やかな赤色です」

というよりも、

「ボディはこの色です」といってカラーサンプルを見せる。

「乗り心地は最高ですよ」

と言葉で表現するのではなく、

「実際にシートに座ってみてください」と試乗してもらう。

「ここの素材はチタン合金なので丈夫です」

の代わりに、

「こちらをごらんください」と同じ素材のものを手渡す。

いかがでしょうか。より速く正確に伝えることができます。

よく考えてみれば、言葉というのは単なる記号です。人はその記号を頭のなかで変換する作業を経てから実感することになります。

そうだとしたら、より現実に近いものをストレートに見せたり触らせたりして、実感してもらったほうがよいと思いませんか？

さらにいうと、人によっては言葉の変換に誤差が生じることがあります。

それが言葉の行き違いや誤解を生むのです。

「ボディは鮮やかな赤っていっていたけど、もっと明るい色だと思っていたよ。これなら別の色のほうがよかったな」などというようなトラブルが起こるのは、言葉で伝えることに限界があるからです。

言葉の強さと弱さを知ることで、より上級な会話を目指しましょう。

会話の上達ポイント

17

言葉でしゃべるよりも正確に伝わる会話もある

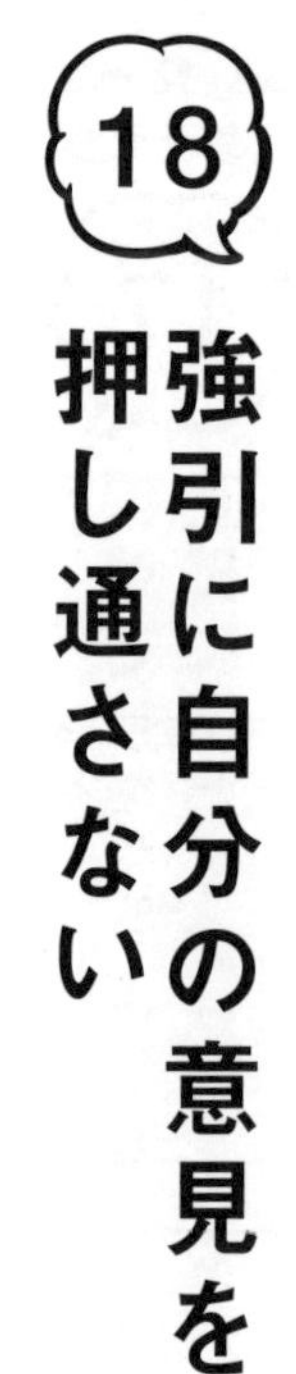

18 強引に自分の意見を押し通さない

相手を思いやる会話ができるかどうか

高学歴の人にありがちなのですが、自分の知識を基準にして会話をする人をたまに見かけます。相手が知っているかどうかなどはおかまいなしに、専門用語をバンバン使って一気にまくしたてるタイプの人。

そういう人に限って、頭の回転が速いし、話し方もうまかったりするので、一見すごい人にも見えてしまいます。いやまあ、実際すごい人なのかもしれません。

でも、そういう人との会話は、ほぼ一方通行です。単に話を聞かされているだけ。興味も知識もないことを聞かされても、相づちすら打てません。

また、少しでも話の内容に対して疑問を投げかけようものなら、理路整然と持論の正しさを説明されて、半ば強引に納得させられたりもします。

豊富な知識から繰り出される話は、完全に相手を置き去りにしてひとりで突っ走ります。そういう人の相手をするのは、とても疲れますよね。

こんな人と出会ったら（もしまわりにいたとしたら）、ぜひ反面教師として自らの糧（かて）にしてください。


会話が上手な人というのは、決して自分の意見を押し通したりしませんし、相手の意見を真っ向から否定もしません。

もちろん、明らかに間違っていることは否定するでしょうが、それも相手のためを思っての行動です。そしてここがポイントです。

会話の上手下手を決める基準のひとつに、相手を思いやる気持ちがあるかないかがあります。当然、思いやるほうが会話上手といえます。

「こんな話に相手は興味をもっているだろうか？」

「この言葉はわかりにくいだろうから使わないでおこう」

「おや、なんだか退屈そうにしているな。話題を変えよう」

自分が話をしているときこそ、相手の気持ちに意識を向けるようにしたいですね。

「怒る」と「叱る」は似て非なるもの

多くの人の場合、しゃべるという行為は気持ちがいいものです。ストレスが解消されて楽しくなってきます。

しかし気がつくと、自分の気分ばかりよくなっていて、相手は不機嫌になっていることもしばしばあります。

これは、「怒る」と「叱る」の関係に少し似ています。

怒るというのは、自分の感情を相手にぶつける行為で、どちらかというと自分のために行なうものです。怒りを爆発させることで、高ぶった気を晴らすようなもの。怒られた側は不快な思いが残ります。

一方で、叱るというのは、冷静になって相手をよい方向に導くために行なうものです。もちろん相手のための行為になるので、その思いが伝われば、叱られた側も納得できます。

しゃべるときも、これを意識するといいでしょう。
今自分がしゃべっていることは、相手のためになっているかどうか。
単なる自分のストレス解消になっていないか？
あなたが目指しているのは、自分の気分にまかせてしゃべる会話ではありませんよね。
むしろ相手にとってプラスに作用するような会話を心がけましょう。
それこそが、上手な会話といえるのです。

会話の上達ポイント

18

相手を思いやる気持ちをもてば、会話はもっとうまくいく

19 共通の知人の話題は使い方に注意

いない人のうわさ話は諸刃(もろは)の剣(つるぎ)

会話のネタとして、その場にいない人というのも強力な話題のひとつです。他人のうわさ話やゴシップなどは、盛り上がる鉄板ネタといえるでしょう。話が途切れてしまったときは、ぜひ意識して使ってみることをおすすめします。


「**そういえば、○○さんは最近どうしてますか？**」

「ああ、彼なら今沖縄にいるよ」

「えっ、沖縄ですか！」

「なんでも新しいビジネスをはじめたらしいよ」

「共通の知人ネタ」は会話を盛り上げる。でも使い方には要注意！

こんな展開になれば、もう会話はどんどん弾みます。

ひと通り話し終わったら、また別の人の話題に移ればいいので、ネタはたくさんでてきますよね。

お互いの共通の話題で会話をするのは、基本中の基本です。しかも人物の話題というのは、その人の人生ですからモノと違って変化するものです。

結婚、転職、引っ越し、病気、成功、失敗など、ひとりの人間の話題だけでも十分すぎるほどのネタがあります。

ただし注意も必要です。

会話を面白くするために、いわなくてもいいことまでしゃべってしまいがちだからです。

「そういえば、彼、転職を考えているってうわさだよ」
「えっ、昨日会ったときはそんなことといってなかったけど……」

確実性のない話は、たとえその場が盛り上がるとしても、控えましょう。根も葉もないうわさをしていたことが、まわりまわって当人の耳に入ったときに、あなたへの信頼は消えてしまいます。

他人のことを話題にするときには、その情報がどう影響するかを考えたうえで、節度をもって話すことが大切です。

◯会話上手はその場にいない人をほめている

その場にいない共通の知人に対して、あなたがあまりよい印象をもっていなかったとします。

一緒に話している人も同じように思っているようです。

そんなとき、その知人の悪口をついついしゃべってしまいがちですが、それは絶対にやめましょう。たとえどんなに盛り上がることがわかっていたとしてもです。

そんな話をしていたことを当人に知られたらまずいのはもちろんですが、それ以上にあなた自身の格をおとしめます。

当人が聞いたら怒るような話を陰でする人間だと、自らいっているようなものです。

カッコ悪いですよね。

会話上手の人を見ていると、それは徹底しています。

その場にいない人の悪口を決していわないのです。

たとえ、まわりの人が陰口の話題で盛り上がっていたとしても、同調せずに、むしろほめる側に回ります。

「そうはいうけど、こんなよい面もあるんだよ」

いい子ぶっていると思われてもかまいません。

自分がいないところで悪いうわさを流されているというのは、たとえどんな場であっても、気分のよいものではありませんよね。自分が嫌だと思うことは他人にもしないこと。

その場にいなくても知人は知人です。話題として登場している以上は、その知人ともコミュニケーションをとっているのと同じなのです。

また、せっかく話題として登場してもらっているのですから、それなりの敬意を払うべきだと思います。

共通の知人の話題は、盛り上がりやすいだけに、使うときには十分に注意しましょう。

会話の上達ポイント

19 いない人を話題にするときは好意的な話に止(とど)めよう

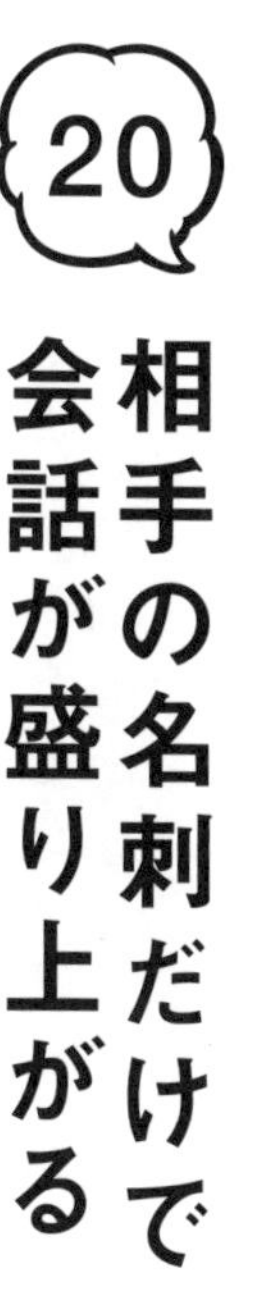

20 相手の名刺だけで会話が盛り上がる

名刺をもらったら必ずこれをやろう

ビジネスの場で、はじめて相手と会うときというのは、どんな会話をしたらいいのか悩みますよね。

まだお互いのことも知らないですし、共通の話題もありません。

だからといって、いきなり気まずい空気にはしたくない場面です。

そんなときは、名刺を使いましょう。

名刺交換はお互いにどんなに年齢が離れていようが、役職に差があろうが、ある意味で平等に行なう初対面の儀式です。これを有効に活用しない手はありません。

ここで私が普段やっていることをご紹介しましょう。

名刺交換をしたときに、相手の名刺をすぐに名刺入れにしまってしまう人がいますが、それはとてももったいないことです。

私がまずやるのは、「相手の名刺を見て、名前をフルネームで読み上げる」ということ。それだけです。簡単ですよね。

これには3つの効果があります。

①会話のネタになる

名前を読もうとするとき、どうしても読めない名前やちょっと読みにくい漢字のことがあります。そんなときこそチャンスです。

「**え～と、これ、なんとお読みするんですか？**」

「○○○と読むんです」

「**あ、これで○○○○と読むんですか。珍しいですね**」

「はい、なかなかいないみたいですね」

名刺は会話ネタの宝庫。相手の名前を読むだけで会話が弾む

自然なかたちで質問ができるので、そこで何度か会話が交わせます。初対面で違和感なく会話のやりとりができると、その後の話もスムーズになります。

②読み間違いがなくなる

どんなに読める名前だと思っていても、じつは違う読み方だったということがまれにあります。相手の名前を読み間違えるのは大変失礼に当たりますし、それだけで会話が沈んだりもします。

一度読んで相手に確認すれば、その後も読み間違えることはありません。

③相手との距離が縮まる

名前というのはその人オリジナルのものです。それを声に出して読むことで、少なからず親近感を与えることができます。

そのあとで、住所や社名などを確認して、自分との共通点が見つかればそれをネタに会話につなげます。

名刺の裏面には会話のネタがいっぱいある

名刺の裏も必ず確認しましょう。表面は、名前やアドレスなどの基本情報がメインですが、裏面には「会社情報」「事業内容」「特徴」などが記載されていることがあります。

さらに、個人の趣味や特技なども書かれていることがあるので、それらを見逃しては絶好の会話のチャンスを無駄にすることになります。

「こんなに全国に支店があるんですね！」

「珍しい事業ですね。具体的にどんなことをされているんですか？」

「あ、釣りが趣味なんですね。海ですか？　川ですか？」

会話の上達ポイント 20

名刺交換をしたら、まずはじっくりと名刺を見よう

話題のきっかけになるものはとことん使いましょう。

そもそも名刺に書いているということは、相手もそのことに触れてほしいのです。こちらから質問すれば、相手は待ってましたとばかりにしゃべってくれます。

初対面の人との会話は緊張します。こちらもそうですが、相手も緊張しているものです。

そこで名刺をネタに会話をすることで、お互いにリラックスできます。

せっかくいただいた名刺ですから、フル活用しましょう。

相手の言葉の裏の意味とは？

営業でお客さまのところに行ったときのこと。そのときはいつになく会話が弾み、時間を忘れて話し込んでいました。

「お茶、もう1杯どう？」

「ありがとうございます。じゃあいただきます」

相手も楽しいから引き留めてくれているんだなと思って、遠慮せずにお代わりをもらいました。3杯ほどお茶をいただいて、私がトイレに立ったときに、給湯室で話し声が聞こえました。

「いつまでいるんだろうね〜」「ホント迷惑だよね」

それを聞いて私はショックでした。よく考えてみれば勤務時間中に話し込んでいたら、やはりまわりも迷惑ですよね。お茶のお代わりの話も、じつは時間が経っていることを気づかせるためだったのかもしれません。

それからは、どんなに話が盛り上がっていても、1時間以内には帰るようにしました。

第3章

シチュエーション・タイミング別会話術

き、気まずい……。
どうにもこうにも落ち着かない……。
ご心配なく。その解決策、ここにありますよ。

21 乗り物で上司と二人きりになってしまったら

指定席で上司ととなり同士になったらこの話題がオススメ

普段の会話はとくに苦労を感じていないという人でも、ある場面だけはどうしても苦手ということがあります。もちろん私もたくさんありました。

そこでこの章では、ここでうまく会話ができたらなあと思われる代表的な場面別の対処法を解説していきます。

まずは、乗り物です。

なかでも新幹線で上司と出張に行く場合などは、困りますよね。指定席だともちろんとなり同士です。これから数時間、どんな話をすべきか悩みどころです。

よく大声で仕事の話をしている人を見かけますが、どこで関係者が聞いているかもわからない場所では、慎むべきでしょう。

こんなときは、いっそのことチャンスと思ってみてはいかがでしょうか。

上司と二人きりの場面というのは、そうそうありません。親しくなる絶好の機会です。

「ところで部長が入社したころは、うちの会社はどんな感じだったんですか？」

最初はこのような過去の質問から入ることをオススメします。

過去を聞くというのは、相手も答えやすいうえに、相手に対する興味を示すこともできる、とっても便利な質問です。

話題も、会社のこと、部署のこと、上司が入社したてのころなどからはじめるといいでしょう。上司や会社のことをもっと知りたいという姿勢がアピールできるので、印象もアップしますし、相手も親身になって話してくれます。

また、プライベートのことや趣味のことなどは、その場の雑談ネタとしてはいいですが、アピール度はそれほど高くありません。

別に話が合わなくてもいいのです。聞き役に徹して、どんどん掘り下げて話をしてもらいましょう。相手に話させるほどにあなたの好感度は上がります。

ただし、ずっと話しっぱなしでは上司も疲れます。適度なところで、「すみません、聞いてばかりいて。お疲れでしたらお休みください」といって、インターバルを取ることも忘れずに。会話し続けることが礼儀とは限りません。

タクシーに一緒に乗るときの会話

同じ仕事でもタクシーに上司と一緒に乗るときには、緊張感が違ってきます。比較的近場で、しかも到着したらすぐに用事が待っていることも多いのがタクシーを使う場面です。適度な緊張もあり、会話なしでは気まずい空気になりがちな場所です。

運転手さんとの雑談で、その場をやり過ごしてもいいのですが、やはり上司との会話を前提にしましょう。

電車では他人の耳を気にして、あまり仕事の話はすべきではありませんでしたが、タクシーは逆に仕事モード全開でかまいません。

むしろ、打ち合わせルームのような使い方をすべきです。

電車を乗り継いで、最寄りの駅から歩いていくことと比べると、タクシーは現地に到着するまで、その空間を占有できます。移動時間をフルに活用できるのです。メールや電話なども気兼ねなくできるのもいいですね。

ここでの上司との会話は、このあとの予定の確認や段取りのすり合わせに当てましょう。

「**今日の打ち合わせのポイントだけ確認しておきたいのですが、よろしいでしょうか？**」

こちらは未来の質問（確認）になります。これから先のイメージを共有しておけば、上司も安心しますし、ミスも減らすことができます。

会話の上達ポイント 21

乗り物での会話は自分のなかで決めごとを作っておくとよい

乗り物に誰かと一緒に乗るときには、あらかじめどんな話をするのかを自分の頭のなかで整理しておくようにしましょう。

22 通勤時に苦手な人と遭遇したらどうする？

朝からたくさんの会話は必要ない

私は朝が苦手なので、会社に勤めていたころは、いつもボーっとした頭で眠い目をこすりながら通勤していました。

そんなときに、同じ電車に同僚が乗っているのを見かけると、なるべく見つからないように身を隠していました。朝から話をする元気がなかったからです。

また、駅で降りて会社に向かう道を歩いていると、前方に普段あまり話をしない先輩たちがのんびり歩いています。このままのペースで進むと、すぐに追いついてしまうので、わざとゆっくり歩いていました。もちろん、いうまでもなく会話をしたくなかったから。

あなたもこんな経験はありませんか？　ときにはわざわざ遠回りをしてし

まったりもしますよね。

なぜ、このように避けてしまうかというと、通勤で一緒になると、会社までずっとなにかを話していなければならないからです。すれ違うだけなら、気軽にあいさつだけですむのですが、並んで歩きながら会話をするのは、とくに朝はキツイのです。

そうはいっても、別に悪いことをしているわけではないので、コソコソする必要はありません。相手の存在に気づいたら、こちらから声をかけましょう。

こんなときはとにかく一言、

「おはようございます」

これだけでもOKですが、もう一言追加しておけば完璧です。

「いつもこの電車ですか？」

会話が苦手な人の多くは、最初の「おはよう」まではいえるのですが、そこで終わってしまうから沈黙になるのです。あいさつの言葉の次のセリフを用意してから、声をかけるようにすればいいでしょう。

ほかにもたとえば、

「今日はちょっと冷えますね～」
「だいぶ暖かくなってきましたね」
「今日はいつもより早いですね」

このようなセリフであなたから話しかけるようにします。

これで先手を取りました。じつは話しかけられた側の心理としては、次は自分からなにか話をしないと、という気持ちになっているのです。

ですからここで少しくらい黙っていても大丈夫。

次に相手から話しかけてきたら応じればいいですし、しばらく沈黙しそうな雰囲気でしたら、

「すみません、朝の準備があるので先に行ってますね」

といって、足早に会社に向かいましょう。

一日を気持ちよく過ごすための一歩

朝、言葉を交わしたという実績は、その日一日を思いのほか過ごしやすくしてくれます。

「おはよう」＋αの声かけだけでも相手との距離が縮まるはず

いつもあまりしゃべらない人と一緒に仕事をしていると、なんとなく話しかけづらいものです。ところが朝のあいさつを一言でも交わしておくだけで、なにか用事があるときも、比較的気軽に声をかけられるようになります。

小さな会話でも人と人との距離を縮めてくれる働きがあるのですね。

その意味でも、通勤時に誰かと一緒になったら、少しだけ頑張って声をかけるようにしたいものです。

そして、出社したらできるだけいろんな人とあいさつを交わしましょう。

わき目もふらずに自分のデスクに直

行するのではなく、人のいるところを回りながら、

「おはようございます」

と声をかけることをオススメします。


集団で行動をしていると、苦手な人や嫌いなタイプもいるでしょう。それはしかたがないことです。

それでも会社などの組織では、一緒に仕事をしていかなければなりません。嫌いだからといって、コミュニケーション不足になってしまったら、仕事にも悪影響がでてしまいます。

なにも普段から会話をする必要はありません。朝の一時だけ言葉を交わす程度の会話を心がけましょう。

会話の上達ポイント

22

朝の小さな会話が、コミュニケーションに弾みをつける

どうしても同僚たちの雑談に入っていけないとき

職場の空気を悪くする要因

そもそも、子供のころからおしゃべり自体が好きではない私は、まわりの人の雑談にはあまり興味がありませんでした。みんながわいわい盛り上がっていても、そこに加わることもなかったです。

ただそれが通用するのは学生時代までで、社会人になるとそうもいきません。朝出社したとき、お昼休み、終業後など、基本的に勤務時間以外のオフィスでは、どこかしらで人が集まっているのがふつうです。いわゆる雑談ですね。

私は一時期だけですが、自分を含めて3人だけの会社に勤めていました。狭いワンルームで、しかもほかの二人は女性です。彼女たちはことあるごとに談笑していたのですが、私はどうしてもそのなかに入れずに、ひとりで黙々とパソコンに向かっていました。

別に仲が悪いわけではなかったのですが、いわゆる女子の話題についていけなかったのが理由でした。今振り返ると、職場の雰囲気を悪くしてしまい、申し訳なかったと思っています。

まわりが楽しくやっているときに、自分だけ参加できないでいるのは、もちろん当人もつらいですが、まわりにも気を使わせてしまいます。

では、お互いに嫌な状態を解消するにはどうすればよいのでしょうか。

まずは聞き役になることからはじめよう

人が話をしているところに割って入るのは、よい印象を与えません。

ところがまわりで談笑しているところに加わろうとすると、どうしても割り込みになりがちです。

そんなときは、輪の中央に向かって入ろうとするのではなく、端から近づいていきましょう。

まずは、まわりで話を聞いている人に対して、

雑談が苦手なら「さりげなく会話に参加→しばらく聞き役」でOK！

「どんな話で盛り上がってるの？」

と、さりげなく問いかけて、そのまま会話に参加します。そしてしばらく聞き役になります。講演会などに遅れて出席して、そっと末席に座るようなイメージです。

あとは、話し手に集中して聞くだけです。話をしている人は、自分の話をきちんと聞いてくれる人を見ると安心します。そして好印象をもちます。

あなたは、黙ってうなずいたり、微笑んだりしていれば、もう会話の輪の一員です。ここで頑張って自分からしゃべろうとする必要はありません。

その場でお互いに気持ちよくやりとと

り（片方しかしゃべっていなくても）ができているだけでＯＫです。

かつての私も、自分でなにかしゃべらないと会話に参加できないと思い込んでいたために、結局孤立していました。

自分で無理にしゃべらなくてもいい。そう思えたときに、スッと同僚の雑談に顔を出すことができたのです。

しばらく黙って聞いていて、雑談の内容が見えてきたら、少しずつ会話に加わりましょう。

「すごいですね〜」「知りませんでした！」「ほんとですか！」

このような感嘆語だけでＯＫです。

いつもは素通りしてしまう雑談の輪に、ちょっとだけ足を止める勇気をもってみませんか。

雑談の輪の端っこからそっと加わって、黙ってうなずくだけでいい

24 パーティに参加したけどうまく会話ができない!?

話せない、立ち回れない、居場所がない

会話が苦手な人にとって、もっとも避けたい場所のひとつにパーティがあります。まあ、そう頻繁にでるものではないですが、年に数回は「付き合いで」参加せざるを得ないことがあるでしょう。

とくに立食パーティになると、自分の居場所を見つけるだけでひと苦労だと思います。ひとりでポツンとしているわけにもいかないので、誰かと会話をしたいのですが、それが簡単にできれば苦労はしませんよね。

結果、壁ぎわでひとりで食べながらパーティの終了時刻を待っているだけという、意味のない時間を過ごしてしまう……。

以前はそんなことの繰り返しだった私ですが、今ではなんとかやり過ごす術(すべ)

をおぼえました。

そもそも人との交流を深めるのがパーティの主な目的です。主催者側もそれを望んでいますし、参加者も人脈を広げて自分のビジネスチャンスをつかみたいと思って来ています。たとえ付き合いで参加したといっても、せっかく来たからにはそれなりの成果を残したほうが得ですよね。

ですから私は、おみやげをひとつもって帰ることを念頭に置きながら参加することにしています。

ただし、たくさん名刺を集めるとか、いろんな人にPRして回ることはしません。されるほうも迷惑ですし、意味がないことですから。

私が意識しているのは、ひとりの人ときちんと知り合いになるというものです。たったひとりでかまいません。この場に参加したおかげで、こんな人と知り合えたという成果をもって帰ることができれば十分なのです。

まずはひとりでいる人に話しかけよう

誰かと知り合いになるためには、話をしなければなりません。

そんなとき私はまわりを見渡してみて、自分の同類を探します。そう、ひとりでいる人です。隅のテーブルでひとりで飲み食いしている人のところに近づいていき、そっと話しかけます。

「こちらのテーブル、よろしいですか？」

もしかしたら誰かを待っているかもしれないので、その確認をするセリフで会話のきっかけを作ります。

OKということでしたら、次のセリフです。

「今日はおひとりですか？」

同じ境遇なら話しやすいですし、性格的にも似ている可能性があります。まずはそれを話題にすれば、初対面での会話もスムーズに入れます。

「どうもこういう場所は苦手でしてね～」

「性格的に人になかなか話しかけられないんです」

そして少しずつ仕事の話や趣味の話に移っていきます。

「今日はどなたかの招待ですか？」

「ちなみにどんなお仕事をされているんですか？」

このように会話をしていれば、まずはパーティで気まずい思いをしなくてすみます。そして話しかけてくれたあなたに対して、相手の人も好意をもつでしょう。

そのうえで、今後のビジネスにつながったり、共通の趣味があることがわかって連絡を取り合う間柄になれたら、もうこのパーティに参加した目的は達成です。無理に大勢と話をしても、その後につなげられなければ意味がありません。

それよりも、たったひとりでも知り合える人を見つけたほうが、はるかに有意義です。今度パーティにでる機会があったらぜひ試してみてください。

会話の上達ポイント

24

パーティはひとりの人とだけきちんと話ができればいい

25 大勢の飲み会を無事にやり過ごすコツ

本来は楽しむところなのに、どうしても苦手

集団が苦手で大声で騒ぐのも苦手な私にとって、飲み会というのは本当に気が重い行事でした。どうして酒を飲んで騒がなければならないのだろうと、真剣に疑問に思っていました。

そもそも楽しい場であるべきなのに、憂鬱(ゆううつ)でしかたがなかったのです。

まあ、これは逆に宴会好きな人には理解できないことかもしれませんが。

それでも会社の行事である忘年会などは、さぼる勇気もないので、しかたなく参加していました。

最初のうちは、人の会話をとなりで聞いて、笑うところで笑ったりしながらやり過ごします。でも時間が経つと、いつも私はひとりになっていました。

みんなそれぞれ好きな場所へ移動しながら話をしていますが、私は最初に座った場所のまま。気がつけば、まわりには人がいなくなっていました。

飲み会が苦手な人って、わりとこんな感じではありませんか？

これでは楽しくないどころか苦痛ですよね。

さて、そんな飲み会ですが、今では気軽に参加できるようになりました。

といっても、ベラベラしゃべれるようになったわけではありませんし、性格が変わったのでもありません。あることをしただけでとても楽になったのです。

それは、「自己開示」です。これについてはとても重要なことなので、後半でも解説していますが、ここではその効果について先にお話しします。

「私は大勢で騒ぐのが苦手です」宣言をしよう！

私が行なったあることとは、本当の自分の気持ちをオープンにしたことでした。

それまでの私は、内気で口下手であがり症だということを、ひたすら隠して生きてきました。もっと明るくて楽しい人間なんだということを、頑張ってアピールしようとしていたのです。

しかし心のなかではわかっていました。そんなことをしても、まわりの人にはバレバレだということを。私がどんなに演じてみても、すぐにボロがでてしまいます。なんか無理しているなあと、まわりには映っていたのです。

当然ですが、そんな私が話をしても面白いはずがありません。しかも自分を偽っているような人間と、誰が真剣に向き合ってくれるのでしょうか。

当時の私は、頑張るほどに逆効果になっていました。

そこで、思い切って本当の自分を表に出してみたのです。

私の場合は、『内向型営業マンの売り方にはコツがある』という著書でそれを公開しました。この本で、これまで隠してきた自分の恥ずかしい部分をすべてオープンにしたのです。

正直いって、最初は恐かったです。こんなダメな人間だということを知られたら、もっと孤立してしまうのではないかと不安でした。

ところがその日を境に、まわりの反応が変わったのです。

飲み会にでても、「ほんとにあまりしゃべらないんですね」とか「私もこういうところでしゃべるのは苦手なんです」などと、話しかけてもらえるようになりました。もちろん好意的に、です。

ここで重要なのは、これまで私が隠そうとしていたことを話題にしてくれたという点です。今までは私に気遣って「口下手」などのマイナス的な話題には触れられなかったのでしょう。

私ははじめて気づきました。まわりの人も私に話しかけたいと思っていたことに。それを可能にしたのが、自己開示でした。

あなたも少しだけ勇気を出して、素の自分を見せるようにしてみてください。それがどんな会話術を身につけるよりも、はるかに楽に会話ができるコツなのです。

会話の上達ポイント 25

偽りのない自分を見せることが、最強の会話術になる

26 おしゃべりな人との会話はこうしよう

一方的にしゃべられるのはとても苦痛

世のなかには信じられないくらいによくしゃべる人が存在します。よくまあ次々と言葉がわいてでてくるものだと感心させられます。

もちろんしゃべるのも疲れるでしょうが、それをずっと聞いている側も疲れます。また、あまりに聞いてばかりでは申し訳ない気持ちになって、こちらもなにか話さなければと思うとそれもまた苦痛です。

そんな人と同じようにしゃべろうと頑張ってみても、なかなかかないません。学生のころは私も相手に対抗してしゃべらなければならないと思っていました。ところが、あることをきっかけに変わりました。

おしゃべりな人との会話もそれほど苦労しなくなったのです。

当時、私には数少ない女性の友人がいました。彼女はとてもおしゃべりな人で、いつも私は聞き役でした。

あるとき、彼女の友人と3人でボウリングに行くことになりました。連れてこられたのは彼女に匹敵するくらいよくしゃべる女性で、ボウリングをやっている最中も止まることなく二人でしゃべっていました。

もちろん私が口をはさむ余地などありません。

最初のうちはなんとか自分も会話に参加しなければと思っていましたが、途中であきらめました。とても太刀打ちできるレベルではないとわかったからです。

それから私は、自分からなにか話そうとすることをやめて、二人の話を聞くことに気持ちを切り替えました。半日、ほぼなにもしゃべらずに人と一緒にいたのははじめてだったかもしれません。

後日、また友人と会う機会がありました。そして先日のボウリングの話になったとき、「あの友だちもよくしゃべるね。ずっと二人だけでしゃべってたよね」と私がいうと、彼女は「そんなことないよ、渡瀬君もしゃべってたよ」

と答えたのです。

気を使っていってくれたのかなと思いましたが、どうやらそうではありません。本当にそう思っていたようなのです。

こちらはしゃべっていないのに、どういうこと?

お互いに気持ちのよいバランスで話せばいい

そのときの私は、言葉こそ満足に発していませんでしたが、それなりに話を聞いていました。うなずいたり笑ったりと無言のリアクションもしていました。

それが、話している側にとっては「会話」だと受け止められていたのです。

あまりにも自分がしゃべらないので、相手に悪いと心のどこかで気に病んでいた私は、とても救われた気持ちになりました。

「そうか、同じようにしゃべる必要なんてなかったんだ」

結果的に、しゃべっている割合が大きく違っていたとしても、お互いの気持ちにバランスがとれていれば、それで平等に話しているのと同じことになると、そのときはじめて知ったのです。

会話の
上達ポイント

26

しゃべりたい相手にはとことん話してもらうのが会話のコツ

おしゃべりな人が話していて気持ちよくなるタイプだとすると、無口な人は話すよりも聞くことでリラックスできるタイプだったりします。

お互いの会話で無理をする必要はありません。しゃべりたいほうがしゃべればいいのです。あのとき彼女に「渡瀬君もしゃべっていた」といわれて以来、相手がよくしゃべる人だったら、徹底的に聞き役になることにしました。少しぐらい沈黙しても平然と、相手が話しだすのを待ちます。

本当の会話というのは、話す言葉の量とは関係ありません。

会話をしている者同士が、お互いに気持ちよくやりとりができている状態が理想なのです。会話に勝ち負けなんてないのですからね。

27 無口な人とうまく会話をつなげるには

ゆっくり会話することを心がける

おしゃべりな人がいる一方で、無口な人との会話というのも、なかなかやっかいです。どんなにこちらが話を振っても、まったく話が弾まないと困りますよね。

そんな私も無口なので、おそらくいろんな人を困らせているのだと思います。とくにビジネスの場で、初対面の相手が無口だったりすると、どう対応したらいいのかわからなくなるでしょう。

まず、無口の代表としていわせてもらうと、黙っているからといって別に相手の話がつまらないわけではありません。そこそこ興味深く聞いているときもあるのです。ただ、リアクションが極端に少ないために、相手には「無愛想でなにを考えているのかわからない」と思われてしまうのが難点です。

また、無口な人は、相手の言葉を脳で噛み砕いて、それを次にどんな言葉で返そうかなどと考えている時間が人より長いだけだったりします。

長考したあとでなにかいおうとすると、相手がしびれを切らして先にしゃべりだしてしまう。そうなるとこちらはまた聞き役に回ってしまうということが多いのです。

ですから、無口な人と会話をするときには、いつもよりもゆっくりとキャッチボールをしてください。球を投げても、すぐに返球を求めずにのんびり待ってもらえると、私のような無口な人間も安心して会話ができるのです。

無口な人ほどしゃべりたがっている

信じられないかもしれませんが、無口な人というのはしゃべりたくないわけではありません。むしろしゃべりたいと思っています。

ある環境が整えば、無口な人でも積極的に話をします。

ゆっくりとしたテンポと相手への信頼感が無口な人と会話するコツ

そのある環境というのは、自分の言葉が相手にプラスに働いていると感じたときです。

無口な人や内気な人のひとつの傾向として、完璧主義があげられます。

自分の言葉は100％ムダをそぎ落としてしゃべりたいのです。

相手が興味がないことや、役に立たないと思われそうなことは、一切しゃべりたくありません。ましてや相手を不快にさせてしまうかもしれないセリフなどは、口にしないのです。

しゃべりが遅くて無口になるのは、このように頭のなかで、

「この言葉は使って大丈夫かな？」

「これよりこっちのセリフのほうが喜ぶかな？」

などと慎重に吟味しているのも理由のひとつです。

ということは無口な人に対しては、

「あなたに、とっても興味があります」

「詳しく教えてください」

「じっくりと話が聞きたいです」

という気持ちを伝えれば、どんどんしゃべってくれるようになるのです。

前にも書きましたが、私が取材を受けてたくさんしゃべってしまったときも、まさにこれと同じ対応をされたからでした。

自分の話を興味深く聞いてくれるという自己重要感が満たされたとき、無口な人でも意外なくらいにしゃべりだします。

そして話の合間に、

「なるほど！」「すごいですね！」「さすがです！」

などのホメ相づちを入れると、さらに乗って話しだします。

ある意味で、単純なのですね。

そのうえで、ゆっくり話していいですよ〜、というふうに余裕の笑顔で待ってあげれば完璧です。無口な人は思考する時間が長いのです。その沈黙をじっくり待つことができれば、きっとほかの人にはいわないこともしゃべってくれるでしょう。

しゃべるという行為は、本来気持ちのよいものです。自分を気持ちよくしゃべらせてくれた相手に対して人は好感をもちます。とくに普段あまりしゃべらない人をしゃべらせてあげると、さらに好感度がアップします。

ぜひ、無口な人に気持ちよくしゃべってもらう工夫をしてみてください。

無口な人は、ゆっくりと興味深く聞けば意外と話してくれる

振り上げ損なったこぶしはどこへ

妻と中古車買取店に行ったときの話です。車の買い替えを検討していて、参考までに現状の販売価格を知るために査定してもらいました。

「きれいに乗っておられますね〜。これならいい値段になりますよ」

「その前に当社のシステムのご説明からさせていただきます」

こちらを期待させておきながら、延々とシステムの話をしはじめた販売員。こっちはそんなことよりも早く査定額を知りたいので、私はだんだんイライラしはじめました。しばらくしてようやく説明が終わると、

「では、金額ですが、いくらくらいだと思いますか？」

さんざんもったいつけながらのこの質問に、さすがに腹が立ったのでなんといってやろうかと思っている間に、

「いいからさっさと教えてよ」と妻が先に切れてしまいました。

振り上げようとしたこぶしの置き場に困っている私をしり目に、妻はさっさと店をでてしまいました。これも口下手人間の悲しい特徴ですね。

第4章

もう一歩踏み出した会話に挑戦しよう！

徐々に、会話への苦手意識がなくなってきましたか？
では、さらなる会話上手を目指してみましょう。

堂々と沈黙すればいい

焦るほど、沈黙に追い込まれる

さて、ここまでの章では会話の基本についてお話ししてきました。基本といっても初級編という意味ではありません。あくまでも会話のベースとなる基礎の部分です。これをマスターするだけでも、苦手な会話はかなり上達するでしょう。

そしてこの章からは、少し難易度を上げていきます。多少ハードルは上がりますが、それ以上に効果も飛躍的に向上する内容になっています。

では、さっそくはじめましょう。

この本を執筆する以前から、私もたくさんの会話関係の本を読みました。そのなかで共通して書かれていることがあります。それが「沈黙」です。

やはりというか、会話を苦手としている人の話を聞くと、決まって沈黙にならないようにするにはどうしたらいいのか、という悩みがでてきます。

多くの会話本にも書いてあるということは、それだけ必要性が高いということでしょう。

もちろん、私も沈黙が大嫌いでした。とくに女性とデートしているときや、営業の仕事でお客さまと話しているときなど、沈黙になるのを心底恐れていました。そしてやっぱり無言状態に陥ってしまい、気まずい思いをしていました。

沈黙が起こりやすいのはどんなときかと思い返してみると、相手がこちらの言葉を待っているときがほとんどでした。

一緒にいる女性がつまらなそうにしていたら、男性である自分がなにか面白い話題で盛り上げなければならない……。営業マンならお客さまの前では、きちんと話せなければいけない……。そんなふうに追い詰められて、焦っているときに限って沈黙がおとずれていたのです。あなたはいかがですか？

では、なにか話さなくてはと切羽詰まったときにしか、沈黙になっていないのでしょうか？　答えはノーです。自分で気がついていないだけで、実際の会話のなかには、たくさんの沈黙が入っているのです。

つまり気にならない沈黙の存在です。

沈黙になって困っているのは自分だけ!?

たとえば、あなたが誰かと一緒にいて、沈黙になったとします。あなたは汗をかきながら話題を探していますが、そのとき相手はどうでしょうか。同じように「なにか話さなきゃ」と焦っているでしょうか？

じつは、沈黙で困っているのは片方だけの場合が多いのです。これが気にならない沈黙の正体です。

相手はまったく気にしていません。勝手に気に病んでいるのは、あなただけだったりするのです。

では、そんなときにどうすればいいのか。

相手と同じように「沈黙を気にしない」という作戦でいきましょう。

なにも一緒にいる間に、四六時中話をしなければいけないことなどありません。それこそ不自然ですし、お互いに疲れます。

沈黙は必要なのです。あとは気持ちの問題だけ。気にするか気にしないかです。

堂々と沈黙してしまいましょう。

すると、意外に気持ちが落ち着いて、まわりに目が行き届きます。そして、そこから話題が見つかったりします。

じつは話題というのは、頭のなかから取り出すものではなく、目の前に転がっているものを使ったほうが会話が弾むのです。沈黙しても冷静でいることが、会話をつなげるコツだといえるでしょう。

会話の上達ポイント

28

沈黙しても落ち着いて まわりを見渡せば、話題は見つかる

29 しゃべらなくても存在感を出す方法

話題の切り替え役に徹しよう

何人かで会話をしているとき。いくら聞き役でいいとはいっても、まったくしゃべらずに聞いているだけでは、やはり存在感が薄くなります。注目されなくてもいいけど、ある程度は自分の存在を認めてほしいというのは誰しも思うところでしょう。

もちろん、話の面白さを認められれば最高なのでしょうけど、それができれば苦労はしませんよね。

そこで、一言だけで自分の存在感をアピールできる方法をご紹介します。

まず、みんなの会話を集中して聞きます。どんなに盛り上がっている会話でも、そのうちにあるタイミングがやってきます。

それは「間」です。

会話が一段落して、一瞬みんなが黙るときがチャンス。

「ところで話は変わるけど、なんだか雨が降りそうじゃない？」

「あの、ちょっといい？　そこの壁のポスターって懐かしくない？」

このような感じでまったく違う話題を放り込むのです。

すると、新しい話題でまたみんなが会話をはじめます。

「ほんとだ、懐かしいねぇ」

「あの映画観た？」

「観たよ。主演の俳優なんて名前だっけ？」

あとはまた黙って聞く側になっていてもかまいません。

でもその場を演出したというあなたの存在は、しっかりとみんなの脳に焼きついています。

話題の切り替え役に徹することで、会話をコントロールすることができるのです。

慣れないうちは難しいかもしれませんが、コツをつかめばこんなに楽なことはありません。たった一言だけで疎外感が消えて、自分の重要度が増すのですからね。

そのためにも、普段から身のまわりのものを観察するクセが必要です。話題になりそうな変わったものをつねに探すようにしましょう。

予告の言葉で「これから話をしますよ～」

話題を切り替えるときに、もうひとつ忘れてはいけないことがあります。

それは先ほどの例にも入っているのですが、「予告の言葉」です。

「**ところで～**」

「**話は変わるけど**」

「**ちょっといい？**」

などといってから本題に入るようにしましょう。

しばらくしゃべっていない人がいきなりしゃべりだすのは、唐突感がありま す。

いきなり本題を話しはじめても、まわりはついてこられません。すると、せっかくの話題がきちんと伝わらないことがあるのです。

そうなると、「こいつ、いきなりなにいってんの？」と、かえって浮いた存在になってしまいます。最悪ですよね。

ですから、確実に話題の切り替え役になるためにも、最初に「これから話をしますよ～」という合図を送って、みんなの意識をこちらに向けてから話すようにしましょう。

私は何人かで雑談をしているときなどは、いつもチャンスを狙っています。

無口な自分がアピールするためには、一瞬が勝負です。

当然ですが、最初のころは、まったくピントが合っていない話題を振ったこともありました。

「あのさあ、ナスカの地上絵って誰が描いたか知ってる？」

聞いているみんなはキョトンとしています。

こんな話題を急に出されても、場の空気が固まるだけ。

たった一言でも、みんなに溶け込むことは可能である

一瞬の「間」に、ほんの一言投げかけるだけで
会話仲間の一員になれる

そんな寒い体験を何度もしてきました。今思えばそれはすべて実験だったのです。

いろんな話題を試してみたおかげで盛り上がる話題はどんなものなのかがわかるようになってきました。話題には法則があったのです。

それは、次項でお話ししますね。

30 盛り上がる話題にはコツがある

なぜすぐに会話が止まってしまうのか？

かつて私が営業マンだったころのことです。

よく上司にいわれていました。客先に行ったらすぐに仕事の話をするんじゃなくて、まずは雑談から入るように、と。

たしかに理屈はわかります。いきなり商品説明をはじめたところで、相手は聞いてくれませんから。まずは、軽い会話を交わして緊張感を解いてからでないと、まともに商談ができないのはわかっていました。

しかし、私は雑談が苦手でした。というよりもまったくできませんでした。

そこで上司に相談したところ、「天気の話題」で話しだせとのアドバイスをもらいました。

さっそくやってみました。

「こんにちは、今日はいい天気ですね」
「そうですね」
「…………」（会話が続かない……）

どうもうまくいきませんでした。本当に天気の話題でいいのだろうか。
口下手の私には、スッと雑談に入っていける人のテクニックは、神業のようでした。

そんな私でしたが、いろいろと試行錯誤を繰り返しているうちに、話題によっては相手がしゃべってくれるものと、しゃべってくれないものがあることに気づきました。

それによって会話が止まってしまう理由がわかったのです。

相手に近い話題ほどしゃべってくれる

ポイントは、相手との距離でした。相手に近い話題であるほどよくしゃべってくれるようになるのです。

たとえば、

A：相手の最寄り駅の商店街がとてもにぎわっている話題

B：相手の近所のスーパーがとても繁盛している話題

話題としては似ていますが、使ってみると明らかにBのほうがしゃべってくれます。

さらに、

C：「となりのラーメン屋さん、すごく人が並んでましたけど、有名なんですか？」

より近いこちらのほうがよくしゃべってくれるのです。

もっというと、

D：「こちらの社屋は最近建てられたばかりなんですか？　新しいですね」

E：「珍しいお名前ですね。なんとお読みするんですか？」

このように、相手に近い話題と相手のしゃべる量は比例することがわかりました。

近いことのほうがよく知っている可能性が高いので、それだけ相手もしゃべりやすいという単純な理由です。

そして、そう考えると天気の話というのは、広い（遠い）話題になるので、盛り上がりにくかったのです。

会話が続くかどうかには、しゃべりの技術など関係ありません。

相手が話しやすい話題かどうかで決まるのです。

ぜひ、相手の身近なところから話題を拾い出して、試してみてください。

会話の上達ポイント 30

相手がよく知っている話題なら、どんどんしゃべってくれる

31 まじめな性格の人が笑いをとるにはこれしかない

面白いことがいえない自分が嫌だった

小学校のときにいつも仲よくしていたY君がいました。席がとなり同士だったので自然に話をするようになったのです。

彼はとても気さくな性格で、内気な私ともふつうに付き合ってくれました。でも彼は、私だけの友だちではありませんでした。いつもひょうきんで面白いことをやっているので、クラス全体の人気者だったのです。彼のまわりにはたくさんの女子がいつもいて、ときどき私は寂しく思ったりもしていました。

ある日、彼は大きな紙袋にいっぱいのチョコレートを抱えてきました。

バレンタインデーだったのです。そんなのとは無縁の私は、一個ももらっていません。彼が女子に人気があることはわかっていましたが、まさかこんなにとは思いませんでした。

「自分も彼のように面白い話ができたらなあ～」

子供ながらにとてもうらやましく思ったのを今でもおぼえています。


もちろん、私だって頑張ってみようとしたこともありました。

当時人気だったドリフターズのまねを、家でこっそり練習したこともあったのです。でもいざ人前にでるとどうしてもできません。まじめすぎる性格が、ひょうきん者を演じることすら拒むのです。

結局、まじめで面白くない人間であり続けました。人を笑わせるなんて、とてもできないと思って、いつしか練習もしなくなりました。

ですから私には、人から笑いをとることなんてできなかったのです。

ところが、近年では、セミナーなどで講師をやるときに、ときどき笑いを誘うことができるようになりました。もちろん大爆笑にはなりませんが、クスクス笑い程度にウケることなら少しはできます。

そしてこれは誰にでもできることです。

自虐ネタの3つのメリット

まじめな私が笑いをとるための方法とは、ずばり「自虐ネタ」です。
トークやジェスチャーではとてもムリなので、話の内容だけで勝負します。

「高校生のときに、生まれてはじめてレコードを買ったのですが、ものすごく緊張して顔に大汗をかきながらレジにもって行ったことがありました。女性店員に気味悪がられました」

「先日、立ち食いそば屋に入って、そばを頼んだらうどんがでてきました。一瞬迷いましたが、黙ってうどんを食べました。そういうのってどうしてもいえないんですよね」

このように、あがり症であることや気弱な性格を体験談として話します。
するとたいていは、会場のあちこちで適度に笑いがでます。

このような自虐ネタには、3つのメリットがあります。

①自分も聞き手もリラックスできる

最初に自分を下げる話をすると、親近感がわく分だけお互いにリラックスした雰囲気になります。場の空気を和らげる効果があります。

②特別な話術は不要

体験をそのまま話せばいいので、過剰に盛り上げたり演出したりする必要はありません。むしろ淡々とした口調のほうが現実味がでて笑いを誘いやすくなります。

③あがり防止になる

人前でカッコよく見せようとする気持ちが、あがりにつながっています。カッコ悪い自分を最初に見せてしまうことで、あがらなくなります。

面白い話ができなくても、自分の体験談だけで笑いはとれる

過剰な自己演出は不要。
自虐ネタを使って会話を盛り上げよう

このような自虐ネタは、テレビでもよく見かける「人見知り芸人」とか「無口芸人」などと同じものです。人の恥ずかしい話というのは、面白いものなのです。

今まで人にいえなくて封印してきた体験などを、飲みの席などでためしに話してみるといいでしょう。

32 人前でのスピーチはこうして切り抜ける

営業のプレゼンで頭が真っ白に！

何度もいいますが、私はあがり症です。子供のころから内気な性格だったのも、このあがり症が原因のひとつだと思っています。

自分のからだがコントロールできなくなって、どんどん変身（赤面、多汗）してしまうのは、本当につらいものでした。でもそれも大人になったら自然に治るものだと思っていました。

ところが、就職して営業マンになった私に試練がおとずれます。

商品説明会を行なうにあたって、私もプレゼンすることになったのです。

事前にセリフを暗記して、あがらないようにと祈りながら演台に立ちました。

途中までは順調でした。おぼえたトークを棒読みでしたが、なんとか話ができていました。

しかし、途中であるひとつの専門用語をど忘れしてしまったのです。私の説明はピタリと止まりました。うまくごまかす余裕などありません。懸命に思い出そうとするほど焦ります。

すると一番前の席で聞いていた人が、クスリと笑ったのが見えました。

それを見た瞬間、私の頭は真っ白になりました。あがってしまったのです。全身汗だくで、思考停止状態。私はそれ以上続けることができずに、「すみません」といって演台を降りました。

大人になっても、あがり症は勝手に治ったりしなかったのです。

それ以降は、人前で話をする仕事は絶対にやらないと心に決めました。


あれから20年以上経ちました。私は今、人前に立って話をする仕事をしています。あがり症は治ったのかというと、答えはノーです。まだ相変わらずあがり症のままです。

そんな私がどうやって人前でしゃべっているのかをお教えしましょう。

超あがり症の私が１５００人の前で講演!?

地方の講演に行くと、数百人を前にひとりで2時間以上もしゃべることがあります。先日はなんとコンサート会場で、１５００人に向かって講演しました。

そのときあがっていたかというと、あがっていません。

あがらずにしゃべる工夫をしていたからです。

あがり症の人ならわかると思いますが、自分があがる瞬間というのはわかるものです。そしてどんなときにあがってしまうかも、経験でわかっています。

私の場合、間違えないようにしようとか、きちんと見せようなどと意識しはじめるとあがってしまいます。カッコよく見せようとしたり、カッコ悪いところを見せまいとするとダメですね。

そこで、私のあがり防止法では、その逆をやるのです。

自分はカッコ悪いし、話も下手だし、大したことのない人間なんだということを、最初に見せてしまう。それが私のあがり対策です。最初の自己紹介で自分の性格や過去の失敗談を話してしまうのです。

セリフもおぼえません。伝えたいポイントと順番だけをおぼえて、あとは自然にしゃべるようにしています。当然のようにいい間違えたり、つかえたりもしますが、気にしないで話します。

そもそも聞きに来る人たちは、私の上手なしゃべりを聞きたいわけではありません。ミスのない話を期待してなどいないのです。

それよりも、もっと大切な「話の中身」が聞きたいのです。私は意識を、どうやって見せるかよりも、どうやってわかりやすく伝えるかにシフトしました。見え方やしゃべり方など、どうでもいいのです。いいたいことが伝わるかどうかが重要なのですからね。すると不思議なくらいにあがらなくなりました。

もしあなたがあがり症で、人前で話をする機会があるのなら、ぜひ試してみてください。

会話の上達ポイント 32

いかにカッコ悪い自分を見せるか、それがあがり防止法

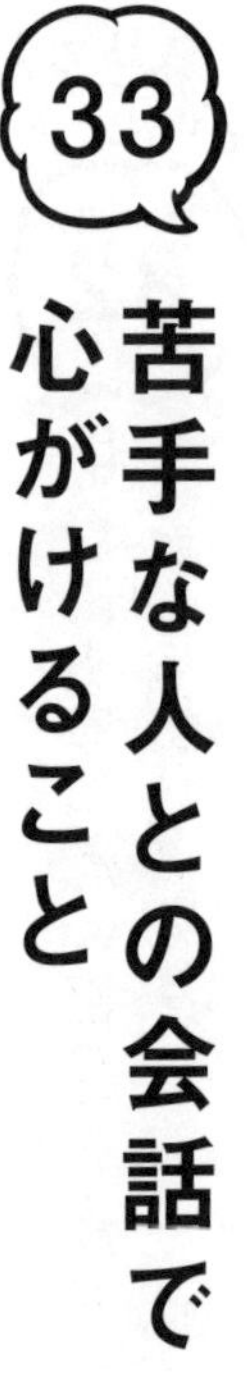

33 苦手な人との会話で心がけること

嫌な上司とどう接すればいいのか

ただでさえ会話が苦手なのに、嫌な上司と話をしなければならないときって、気が重いですよね。

私もいました、嫌な上司が。とにかくえこひいきがひどくて、気に入らないメンバーのことを陰で悪くいうのです。昔は社内で仕事ができる伝説の人物だったらしいですが、部下から見ても好きになれない人でした。

私が彼のことを嫌いだったせいかもしれませんが、私も彼に嫌われていました。

ある全体会議の席で、彼は私の作ったプレゼン資料をダメな見本としてみんなの前で罵倒しました。正直いって、それほどひどい内容ではなかったはずなのですが、虫の居所が悪かったのでしょう。

そのことがあってから、その上司とは余計に接しづらくなりました。

しかし、同じフロアで仕事をしている以上、なにかしらの報告などで接する機会が発生します。まったく無視していることはできないのです。

そこで、私はある行動にでました。

上司のデスクに行ってこう切り出したのです。


「あの、例のプレゼン資料の件、すみませんでした」

「おう、あれじゃダメだろ、しっかりしろよ」

「はい。さっそく作り直しています」

(ちょっと間を置いて)

「ところで、別の資料の件で、ちょっとご相談してもいいですか?」

「ん、なんだ」

「はい、じつは……」

このように、別の資料の相談をもちかけたのです。

すると、それまで無愛想だった上司が、身を乗り出してきました。

ひと通り相談を終えたころには、聞いてもいないことまで親身になってアドバイスをしてくれたのです。

じつはこれが私の狙いでした。

「相談」だけで会話をしよう

上司のところへ単にあやまりに行ってしまうと、結局叱られておしまいになります。そのあとも接しづらさは変わらないでしょう。

ところが、「相談」に話題をシフトしたところ、お互いに前向きな会話ができて、最後は和やかな関係になれました。

その後もときどきその上司に対しては、相談というかたちで接触するように心がけました。

職場でわだかまりがある関係でも、仕事の相談をもちかけると不思議ときちんと対応してくれます。

相談されて悪い気にはならないもの。苦手な人には相談攻め！

私は、とくに相談する必要もないことも、コミュニケーションのためにあえて相談に行ったりしていました。

人はお願いされると応えたくなる習性があります。人から頼られて悪い気もしないでしょう。

さらに相談するというのも会話のひとつです。ある程度の会話を交わせば、ギスギスした関係も柔らかくなるものです。


そうしているうちに、私はその上司に気に入られてしまいました。

別の全体会議のときに、今度は私のプレゼン資料をよい見本としてほめたのです。もちろん、そうはいってもプライベートで付き合おうとも思いませんし、人間的には嫌いです。

それでも職場ですから、最低限の付き合いはしなければなりません。

そんなときこそ、ぜひ相談という切り口で話しかけてみてください。

「あの、ちょっと相談したいことがあるんですが……」

「この部分に関して、なにかアドバイスをいただけませんか？」

こちらから話しかけるきっかけになるうえに、コミュニケーションを高める効果も期待できますよ。

会話の上達ポイント

33

苦手な人には、相談というかたちで接触しよう

34 異性との会話ではこれだけを意識しよう

あなたが話をする目的はなんですか？

ここで男女の違いについてお話しするつもりはありませんし、私にそれを語る資格もありません。

ただ、ひとつだけ、これを知ってよかったと心から感じたことがあるので、ご紹介したいと思います。

そもそも「話をする」という行為を、なんのためにするのか考えたことがありますか？

私はこれをずっと勘違いしていました。

話をするというのは、言葉でなにかを伝えるということです。情報や気持ちなどを言語という記号で相手に伝える行為です。それ以外のなにものでもないと、私は思って生きてきました。

あなたはいかがですか？　もしもあなたが男性なら、なにを当たり前のことをと思うかもしれませんが、あなたが女性なら、ちょっと首をかしげるかもしれませんね。

そうです、私が勘違いをしていたというのは、このことです。

話をするという行為には、もうひとつ目的がありました。それは、話をするという行動そのものも目的だということです。

そして、ここが男性と女性の違いだということも知りました。


もちろん完全にふたつに分けられるものではありませんし、個人差もあるので一概にはいえません。ただ、ある程度の傾向があるので知っておくべきだと思いました。

一般に男性は、話をするときは、なにかを伝えるために行なうことが多いのに比べて、女性は話をする行為そのものを目的にしていることが多いのです。

これは脳やホルモンの違いによるもので、明らかに男女に違いがでます。

相手に合わせることが会話の基本

このことを実感できたのは、結婚したあとでした（もしも独身のときにこれを知っていれば、もっとモテていたかも?）。

私の妻はとってもおしゃべりです。まさに私と正反対で、食事中も一緒にテレビを観ているときも、ほぼひとりでしゃべっています。

もちろん私に向かってしゃべるのですが、それに対して私は「うん」とか「ああ」とかだけで答えていました。基本的に楽しいしゃべりなので、私としては歓迎しているのですが、ときどき聞くのが面倒になることがありました。

それは、ここで話をしても解決しないという内容のときです。

「来月病院で検査なんだけど、今年は大丈夫かなあ。去年の検査は中性脂肪が少し高くて、それからサプリメントをずっと飲んでいたから大丈夫だとは思うんだけど。もしまた数値が高かったら別のものを飲もうと思うんだけど、どう思う?」

それに対して私は、

「それは検査が終わって結果がでてから考えればいいんじゃないの」

そんな意味のない話をするなといわんばかりに、冷たく答えていました。

いっていることは私が正しいですよね。でも妻はどこか不満そうでした。

さて、あのとき私はなんと返事をしたらよかったのでしょうか。

「そうだね。ずっと飲んでたんだから大丈夫なんじゃないの？」

ある意味で、正確に答えていません。でもこれでいいのです。

なぜかというと、彼女は答えを求めていたのではなくて、私と会話そのものがしたかったのです。論理的な意見や理屈などは無用でした。

これは別に女性をバカにしているわけではありませんよ。

そういう性質をもっている傾向があることを知っておくだけで、相手が満足する会話も見えてくるはずです。ぜひ、実践してみてください。

会話の上達ポイント 34

異性側の目的を察すれば、お互いに気持ちよい会話ができる

35 相手にしゃべらせて主導権を握る

どちらがしゃべらされているのか？

私はずっと営業マンだったので、これまで何百回とお客さまとの会話をしてきました。仕事での会話なので、単なる雑談では終えられません。最後は営業成果に結びつけるように話を進めていく必要があります。

そこで重要なのが、会話の主導権です。

会話をうまくコントロールしてこちらが思っているゴールに向かわせるのが理想です。

ただ、相手がいることですから必ずしもこちらの思惑通りにはいきません。失敗して帰ってくることもありましたし、うまくいったこともありました。

そうした経験を踏まえて、私が営業マン時代にやっていた会話の主導権の握

話題を変えて主導権を握り、あとは勝手に相手にしゃべってもらおう

り方についてお話しします。

さて、二人で会話をしている人たちがいます。その二人を見て、どちらが主導で話を進めているのかわかりますか？

一見すると、たくさんしゃべっている側に主導権があるように思えるのですが、実際は逆のことが多いのです。

営業の場面でも、お客さまがしゃべっている商談のほうが、決定率が高いというのは周知の事実。しゃべる量とどちらが主導なのかは、関係ないのです。

それともうひとつ、主導権はつねに

一方だけが握るとは限りません。会話をしながら相手と入れ替わってしまうことも多いのです。

具体的に見てみましょう。

話題の提供者こそが会話をコントロールできる

一連の会話も「話題」ごとに分解することができます。

たとえば、

「**そろそろ寒くなってきましたね**」

「そうだね。コートが必要になってきたね」

「昼間はいいんですけど、夜が冷えます」

「外回りは大変だね」

「**はい。あれ、ところでスマホ替えました?**」

「そう、替えたんだよ。最新の機種に!」

「へえ、いいですねえ。ちゃんと使いこなせてますか?(笑)」

「まだだけど、でも思ったより簡単だね」
「ははは。ちなみに弊社のサービスもスマホで見られるのをご存じですか？」
「えっ、そうなの」

最初は寒さの話題でしたが、途中でスマホの話題になり、最後は自社のサービスの話題に移っています。

このように次々に話題を展開しながら、自分のビジネスに引き寄せているのがわかるでしょう。

話題を切り替えるときのコツは、質問などの問いかけをすることです。

質問して答えてもらうことの繰り返しによって、会話のキャッチボールが成立します。そうして相手にしゃべらせることで、じつはこちら側のペースになっているのです。

会話の内容自体は相手がしゃべっている状態になるので、一見すると相手が主導権をもっているように思えますが、つねに質問によって話題を出している側が、その場をコントロールしています。

逆に相手から質問攻めをされているときは要注意。どんなに頑張って答えていても、相手のペースで会話が進められている可能性が高いです。

相手にしゃべらせることで、情報を引き出すと同時に気持ちをリラックスさせる効果もあるので、さらに普段はいわないような本音も話してくれます。

相手に対して好印象を与えつつ、こちらの目的を達成できる。

「話題を提供する会話」をぜひ心がけてみてください。

会話の上達ポイント

35

会話の主導権を握るには、話題の切り替え役になること

36 上級のリアクションで相手の心をつかむ

「強調の同意」で話し手の心をつかむ

相手の話に相づちを打つことの大切さは、前にもお話ししましたね。話をする側にとっては、適宜リアクションをしてくれると気持ちよくしゃべることができます。

ですから聞き上手の人は、例外なくリアクションが上手です。

「そうそう、そうなんですよね！」

こちらの話にこのように強く同意してもらえると、自分の言葉がとっても有意義なものに思えてきて、もっと話したいという気持ちにさせられます。

相づちというと「へぇ～」とか「なるほど」などを頻繁に使ったりしますが、それだけでは単調になりがちです。反応が単調だと、話しているほうも、相手がちゃんと聞いているのかと疑いたくなってきます。

そこで、強調の同意を使いましょう。

「それ、ものすごく興味があります！」

「面白いですね～」

「もうちょっと詳しく聞かせてください！」

このような言葉で、どんどん後押しすると、相手の話にどんどん弾みがつきます。そのときに、ジェスチャーも交えるとより効果が上がります。目を見開いたり、身を乗り出してみるなど、全身を使って話を聞くようにしましょう。

相手がたくさん話してくれるということは、その分だけあなたに信頼を寄せている証拠です。そうなればコミュニケーションもうまくいきますよね。

あなたの言葉は理解してますよ！　という合図を出す

コミュニケーションが良好な状態というのは、お互いに理解し合えているときです。自分のことをきちんとわかってくれる人には、信頼を寄せますし、心を許します。

そこで、さらに信頼を高めるリアクションを紹介します。

〝あなたがいっていることは、しっかりと理解していますよ〟ということを、話し手に伝えるリアクションです。

「それって、たとえば○○みたいな感じでしょうか？」

「わかります。△△と同じことですよね」

「別の言い方をすると、××ということでしょうか？」

相手のいっていることをほかのものにいい換えています。

これは、「わかります」というセリフの上級版ともいえるでしょう。

「わかります」だけの返事では、本当にわかっているのか不安になることもありますが、このようにいい換えることで、きちんと理解していることを伝えることができるのです。

こうなれば、もう相手の心をつかんだも同然です。

もちろん、瞬時にたとえ話を考えなければいけないので、難易度も上がってきますが、トライする価値は十分にあります。

会話の上達ポイント

36

リアクションに集中すれば、相手からの信頼を得ることができる

リアクションのパターンを豊富にしておけば、
それだけで会話上手になれる

この人は自分のことを本当にわかってくれているんだ。それならもっと深い話もしてみよう。そう思ってもらえれば、この会話は成功です。

リアクションだけでも、相手とのコミュニケーションを深めて信頼を得ることが可能なのです。

ぜひ挑戦してみてくださいね。

盛り下げるリアクション

私はもともとリアクションがなくて、よく「なにを考えているのかわからない」と人にいわれていました。

そこで、意識して大きな反応をしようとしていたイタイ時期がありました。

「この前さあ、クルマで海にドライブに行ったんだけど」

「おお～！　クルマで！　海に！　ドライブ！」

「……あ、ああ。それで高速に乗ったらいきなり大渋滞でさ」

「いきなり！　大渋滞！」

「……うん。なんか大型トラックの事故があったみたいで」

「大型トラック！　事故！」

どこかの本で読んだのか、とにかく相手の言葉をオウム返しするだけというリアクションでした。そんなことをされたら話が盛り上がるどころか、しらけたムードになるのは当たり前。でも当時はそれに気づかない、空気の読めない私でした。

第5章

これをやったらアウト！
会話のタブー集

「あー、やってしまった！」
会話の場でこんな経験は誰にでもあるはず。
二度と繰り返さないコツ、教えます。

37 自分の勝手な思い込みでしゃべっていませんか？

相手の見た目で判断すると痛い目を見る

さて前章の上級編はいかがでしたでしょうか。あえてレベルの高いものも載せましたが、少しずつマスターしていってくださいね。

そしてここからは、ちょっと見せ方を変えてみました。

ズバリ、悪い例です。

いわば反面教師として、違った角度から読み進めていただければと思っています。自分の欠点は見えづらいですが、他人の欠点はよく見えたりするものです。ぜひ、我が身に置き換えながら読んでみてください。

私は営業を教える立場なので、これまでにたくさんの売れない営業マンを見てきました。売れない人にはいくつかの共通点がありますが、そのひとつに「勝手な思い込みでしゃべる」というのがあります。

「あの人はたぶんこう思ってるに違いない」「きっとこうなってるだろう」

相手に確認することもせず、自分の想像だけで勝手に話を進めてしまうと、致命傷になることもあるのです。

ある保険の営業担当が我が家にやってきました。

もちろん保険を売るためです。


「今オススメなのは、こちらの学資保険です」

彼女はいきなりこう切り出しました。

「お子さまを二人、大学卒業まで育てるとしたらどれくらいの費用がかかると思いますか？」

私が知らないというと、

「じつは、○○万円もかかるんです。大金ですよね！」

「でもこれは、ご主人が健康で働けていることが前提になっています」

「病気になったり、不慮の事故にあってしまう可能性もあるわけです」

「そのためにもこちらの学資保険が必要なのです」

私が口をはさむ間も与えず、彼女は一気にしゃべります。

そして、ひと通り説明を終えたあとで、ふと思い出したかのように、

「ところで、お子さまは今何歳ですか？」

「子供はいません」

「あ、……そうでしたか」


しまった、という顔をしてあわてて別の資料を探しはじめる彼女。

でも、もう私のなかではとっくに「ＮＧ」なのはおわかりでしょう。

黙っていたのはいじわるだとわかっていましたが、仕事柄、最後まで観察したかったのです。

そもそも、私ぐらいの年齢なら子供がいるだろうという勝手な思い込みが、今回の失敗の原因です。相手がもし子供がほしいけどなかなかできないという夫婦だったら、このセールストークに強い反感をもたれたかもしれません。

会話の上達ポイント

37

相手の心のなかを勝手に決めつけてしまうと大けがをする

わからないことは聞くのが一番

人に聞くのは失礼なことだと思っていませんか？

さらに、相手の気持ちを察することがよいことだと思っていないですか？

そうではありません。本当に失礼なのは勝手に相手の心のなかを想像することです。そしてそれをもとに話を進めようとすることです。他人の頭のなかのことなんて、そもそもわかるはずがありません。

目の前の相手についてわからないことがあったら、直接聞けばいいのです。

確信がもてないことがあったら、その場で確認すればいいのです。

相手ときちんと向き合って会話をするためには、うわべだけの情報では話にならないことを知っておいてください。

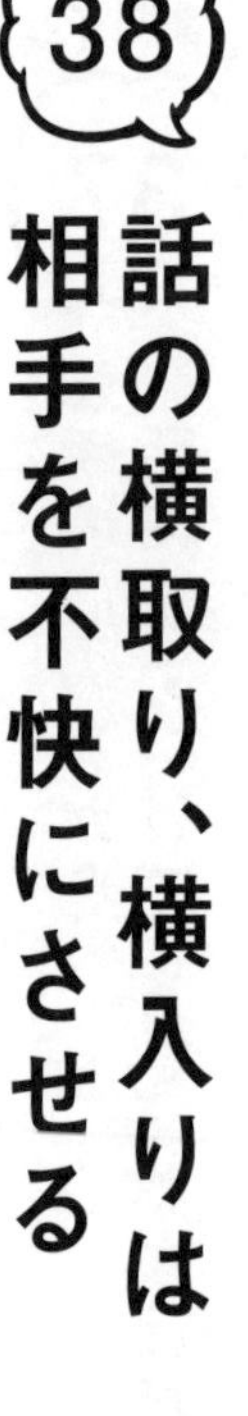

38 話の横取り、横入りは相手を不快にさせる

人の話は最後まで聞くのがマナー

たまにいるのですが、人がこれから話そうとするときに、話を横取りしていくタイプ。当人には悪気もなければ罪の意識もありません。でもそれをされたほうはとても不快になります。

「この間、何年ぶりかでお花見に行ったんだけどさ」

「ああ、花見いいねえ。僕も行ってきたよ。近所の公園なんだけどさ。ちょうど丘の上になっていて、見晴らしがいいんだよね。海も見えるし、天気のいい日は遠くに富士山も見えるんだ。でも最近人気がでちゃって、混みはじめちゃってさあ……（まだまだ続く）」

思いやりの気持ちをもって話を聞こう。会話上手になるには我慢も大事

「……」（花見の席でちょっとした事件があった話をしようと思ったんだけど、もう話す気がなくなっちゃった）

私は、これをよくやられます。話のテンポが遅いので、ちょっとした間に入られやすいのです。せっかくこのあと話をしようと思っていたのに、横取りされると、もう話すことをあきらめてしまいます。不快な気分でその人の話を聞かされるので、面白くもありません。

そしてひと通り話し終えたところで、「で、なんの話だった？」なんてこちらに振られても、「いや別にいいよ」といじけてしまいます。

人がなにかを話しはじめるときというのは、なにかをいいたいときです。それを横取りしてしまうのは会話のマナー違反です。

強引に話しかけても、かえって逆効果になる

また、誰かと話をしているときに、横から強引に入ってくる人もたまに見かけます。こちらも困ったものですね。

とくに多いのは、大勢での飲みの席。私がとなりの人と話をしているときに、正面から割って入ってきて、

「今日はどちらからいらしたんですか？」

おいおい、こっちが今話をしているのが見えないのかな。それでも無視する勇気もないので、手短に返事をしてからまたこちらの話の続きをはじめると、また別の質問をしてきます。

不快を通り越してあきれてしまいました。幸いというか、最初に話をしていた人は大人なので、嫌な顔もせずにいましたが、内心はムッとしていたことで

しょう。

いくら飲み会だからといって、なんでもありではいけませんよね。

もし話しかけたいのなら、こちらの会話が終わるのをしばらく待ってから、声をかけるべきです。

いかがでしょうか。相手の話をさえぎって、強引に自分のしたい話をするのは、会話そのものを壊してしまいますし、信頼感も失います。

先ほどの、会話に割り込んできた人は、いろんな人に声をかけていたようですが、そのうちにみんなに避けられていました。人脈を広げようとしていたのでしょうが、これでは逆効果ですね。

マナーと順番を守れない人とは、誰も仲よくしたいとは思いません。

思いやりの気持ちが一番大切です。

会話の上達ポイント 38

しゃべりたい気持ちを我慢するのも会話のマナーのひとつ

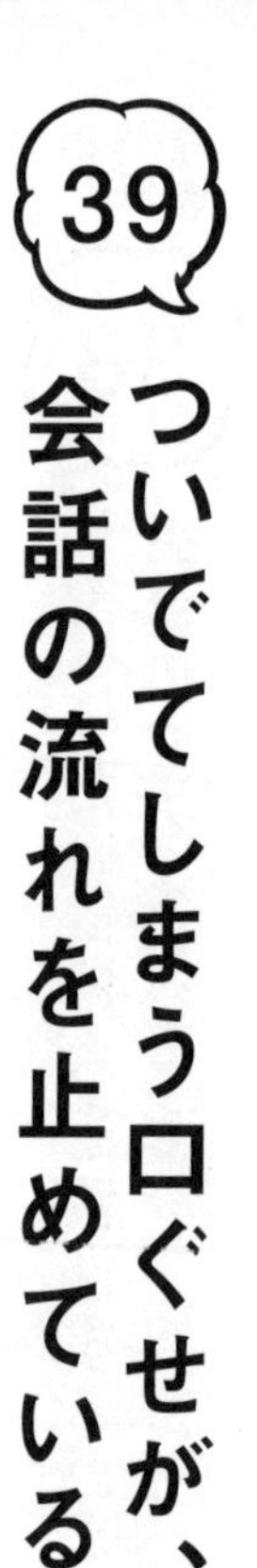

39 ついでてしまう口ぐせが、会話の流れを止めている

「いや……」ではじめる悪いクセ

どうしても話が盛り上がらないときというのは、ちょっとしたことが原因だったりします。


「今度、新しい企画を出そうと思うんですけど」

「いや、今の企画でもまだいいんじゃない」

「そういわず、ちょっと見てくださいよ」

「いや、あとで見るからそこに置いといて」

「あ、そうですか。じゃあお願いします」

このように言葉の最初に「いや」をつける人ってたまにいますよね。当人は気づいていないかもしれませんが、これを連発されると話を続ける気がなくなります。なにをいっても、いちいち否定されている気がするからです。

このようなマイナスイメージの言葉はほかにもあります。

「じゃあ、わかったよ」「じゃあ、そうしよう」

「う～ん、そうだね」「う～ん、まあいいか」

「でも……」「だけど……」「逆に……」

あなたの普段の口ぐせはこのなかにありませんでしたか？

使っていたら、知らないうちに会話の流れを止めていたかもしれませんよ。

相手の言葉を受け止める「そうですね」

先ほどの「いや」というのは、相手の言葉を否定するものでした。

その逆の効果を狙いたいのなら、肯定するものに変えればいいのです。

「今度の案件でさらに新しい企画を出そうと思うんですけど」

「そうですね、ただ今の企画でもまだいいんじゃないかな」

「もっといいのができたんで、ちょっと見てくださいよ」

「了解！　あとで見るからそこに置いといてくれる？」

「ぜひ、よろしくお願いします」


今度はいかがでしょうか。

ちょっと言葉を変えただけですが、相手の反応がよくなりましたよね。

相手の言葉を否定するのではなく、まずいったん受け止めてから返事をするようにしたからです。

プラスイメージの言葉にはほかにも、

「なるほど、そうだね」

「いいね、そうしよう」

「さすが！」

「すごい！」

このような言葉を意識して使うようにしてみると、会話がスムーズに流れるようになるでしょう。

ちなみに、私はメールを送るときに、最後のセリフを「ありがとうございます」にしています。

以前は「よろしくお願いします」というビジネス常套句(じょうとうく)を使っていたのですが、変えたとたんに、相手からのメールの反応がよくなりました。

これも、言葉をプラスイメージに変えたことによる効果です。

普段からの口ぐせを、もう一度見直してみるといいですよ!

会話の上達ポイント

39

自分の口ぐせを、プラスイメージに変える意識をもとう

40 なにをいっても無反応だと、話したくなくなる

まさかのノーリアクションで気力減退

これまでもさんざんいってきました。リアクションの大切さを。

そしてくどいようですが、もう一度いいます。円滑な会話にはリアクションが不可欠であると。

以前、私が営業についての相談を受けたときのことです。内向型の性格で売れずに悩んでいるとのこと。私のところへはこのような相談がたびたび来ます。

ひと通り相談者の悩みを聞いたうえで、私なりにアドバイスをはじめました。

「ポイントは、無理に売り込もうとしないことだよ」

「……」

「強引な営業マンはそれだけで避けられるからね」

「……」

「……」（なんか話しづらいなぁ）

とにかくなにをいっても無言なのです。内気な性格なのはわかりますが、さすがにこれでは話になりませんし、アドバイスする気力がなくなりました。

私は話を途中でやめてこう聞きました。

「ところで、今の話ってちゃんと聞いてた？」

「……はい」

「ふーん、内容も理解している？」

「……そのつもりですけど」

彼なりにきちんと聞いていたようです。でもそれが相手に伝わっていないことに彼は気づいていませんでした。

そこで私は、意識してリアクションをするようにアドバイスしました。最初は言葉でなくても、うなずくなどの態度だけでもいいので、相手の話になんらかの反応をしなさいといったのです。

おそらくですが、彼が売れない一番の原因は、リアクションのなさだったのかもしれません。あれでは商談どころか会話にすらならないでしょう。

私も久しぶりにノーリアクションの対応をされたので、あらためて会話のなかのリアクションの重要性に気づかされました。

話し手はリアクションを想定してしゃべっている

ところで、なんでリアクションがないと、こんなに話す気力がなくなるのかを、ちょっと考えてみました。

すると、話し手というのは、「相手の反応をイメージしながら話している」のだということに気づきました。

これをいったら、こういう反応を示すだろう。次にこういったら、こんなリアクションになるはずだ。

具体的にイメージしているわけではありませんが、ある程度の想定をしながら話をしているということです。そして、その想定を上回る反応をされるとうれしいし、逆に想定以下だとがっかりする。リアクションは話し手の気持ちを左右する重要な要素だったわけです。

会話がこのやりとりの繰り返しだとすると、会話を盛り上げようと思ったらリアクションを工夫するだけでうまくいくことになります。

とくに、会話が苦手という人は、リアクションが薄い可能性があります。

これからは、自分の意識以上に強くうなずくなど、オーバー気味なくらいに反応してみてください。

それだけで、会話が息を吹き返しますよ。

会話の上達ポイント 40

相手が想定している以上のリアクションをしよう！

41 内輪しか知らない話で盛り上がるのはダメ

ひとり置き去りにされた疎外感

私がまだ社会人になりたてのころ。高校時代の友人とドライブに行ったときの話です。私を含めて男4人で行くはずだったのですが、そのうちのひとりがどうしても彼女を連れて行きたいといいだしました。こちらもどんな彼女か見たかったので、もちろんＯＫしました。

当日、みんなで1台のクルマに乗って海へ向かいました。彼女と男3人は初対面です。さてそんなメンバーではどんな会話がベストなのか、当時の私にはわかりませんでした。ですからここからは失敗談です。

車中にて、

「この前さあ、駅を歩いていて、どこかで見たことある人だなあと思ってたら、保健の鈴木先生でさ」

「おお、懐かしいねえ」

「俺のこともおぼえていてくれて、ちょっと立ち話をしたら、佐藤の話がでたんだよ」

「あの、佐藤か！」

「そう、バカだけどギターだけはうまかったあいつ」

「そういえば、いたなあ」

「その佐藤が今なにやってると思う？」


まあこのくらいにしておきますが、このような話をずっとしていたのです。ちなみに、運転手は彼女を連れてきた友人で、助手席が彼女、残りの私たちは後部座席でした。

当然ながら彼女はまったく会話に参加できません。男４人しかわからない話題で、ずっと会話をしていました。

正直、私は気になっていました。ただでさえ初対面の人ばかりなのに会話に入れない彼女の疎外感が。しかし当時の私には、なにを話したらいいのかわからなくて、結局内輪話に参加していました。

後日、彼らが別れてしまったのは、あれが原因だったと今でも思っています。

全員の共通の話題を探そう

昔からよく知っている者同士で話をするのは、気楽で楽しいものです。過去の懐かしい話をすれば盛り上がったりもするでしょう。しかしそこにひとりでも話題に入れない人がいたなら、内輪話は絶対にしてはいけません。単純に会話に入れないだけでなく、完全に部外者扱いになるからです。

そして、逆の立場で見てみると、自分の知らない話ばかりで盛り上がって、なんて思いやりのない人たちなんだろう。冷たいなあ。こんな人たちとは付き合いたくないなあ。そんな気持ちになるはずです。

そのためにも、とにかく全員に共通する話題を探しましょう。

あのドライブのときにさかのぼることができたなら、こんな話題がよかった

会話の上達ポイント

41

みんなで参加できる話題こそが、思いやりのある会話になる

会話力アップを目指すなら、
みんなで共有できる話題を提供しよう

かもしれません。

「ところで二人が知り合ったきっかけはなんなの？」

「やつ（彼）のどこがいいの？（笑）」

まずは、共通の話題である運転手の彼氏を中心に話をすべきでした。

それから、もっと彼女のことを聞くべきでしたね。

内輪話で盛り上がるのは、内輪の人だけでやりましょう。

42 いない人の悪口を会話のネタにしない

ついつい流されて悪口に加担したことを後悔

このテーマについては前にもお話ししましたが、ここで再度強調します。私は今でこそ、たとえ飲みの席だとしても、その場にいない人の悪口はいわないようにしています。それは昔、嫌な思いをしたから。

営業マン時代の同期にいたS君の話です。彼は私以上に人付き合いが苦手で、社内では浮いた存在でした。とくに仕事ができるわけでもなく、むしろミスが多かったので、上司からの評価も低かったです。

部署内で飲みに行くときも、S君だけ誘われないということもありました。私は一応同期なので、あまり彼のことを悪くいったりはしませんでしたが、心のなかではバカにしていたのかもしれません。

そんなある日、例のごとく彼抜きで飲み会に行きました。

その日S君は大きなミスをしてしまったらしく、上司がかなり怒っていました。その流れで、いつしかS君の悪口大会になってしまったのです。

「あいつは毎朝、会社のトイレで大をしている」

「新宿のキャバクラに入り浸っているらしい」

そんな根も葉もないうわさ話で盛り上がっていました。

すると、上司が、もっと面白い話はないのかと聞いてきたので、私はついしゃべってしまったのです。

「誰にもいわないでといわれていたんで、ここだけの話にしておいてくださいね。じつは彼、会長のコネで入社したそうなんです」

ついつい雰囲気に押されてしゃべってしまいました。

そんなうわさはすぐに広まってしまいます。部署内ではみんな知っているようになりました。そしてそれを広めたのは私だということも、彼にバレてしまいました。

そのときの彼の軽蔑した目を、今でも忘れません。

「陰ホメ」で信頼度アップ！

それ以来、私はどんなにまわりが盛り上がっていようとも、その場にいない人の悪口はいわないことに決めました。

その代わり、いない人の話をするときには、「ほめる」ことを意識するようになりました。

「あいつは本当に仕事ができないよなあ」

「でもクレーム処理は抜群にうまいんだよ」

ほめるというのは、当人を目の前にするとなかなかできないものです。それに面と向かってほめられても、それは本心かなと疑ってしまうこともあります。

その点、陰でほめられたことを人づてに聞くと素直にうれしいと感じます。本心でいわれていると感じるからです。

「この前、部長がおまえのことをほめてたぞ。根性あるって」

陰で悪口を絶対にいわない！陰でほめるクセをつけよう

いない人の悪口で会話を盛り上げるのはNG。
「陰ホメ」を実践しよう

いつもは怒ってばかりいて、嫌いな存在だった部長が、陰で自分のことをそんなふうに思っていたなんて！　それだけで好きな存在に変わってしまうくらい、陰でほめるというのは強力です。

ぜひ、「陰ホメ」を習慣にしてください。

そして、あなた自身も陰でほめられる存在になってください。

43 他人の意見の受け売りばかりではつまらない

なぜ彼の話はまったく面白くないんだろう

ずっと不思議に思って聞いていました。

彼の話はとても上手で、聞いている人に視線を合わせながら流暢（りゅうちょう）にわかりやすく語ります。聞きやすい声とやさしい表情。話し手としては申し分ありません。

ところが、なぜか彼の話には違和感があったのです。

ここは、グループミーティングをする研修の場です。その日は私も参加者として研修を受けていました。

先の彼は、同じグループのひとりです。いろんなセミナーに顔を出しているらしく、知識も人脈も豊富な人でした。

私の違和感は、そこで雑談していたときのものです。

あんなに上手にしゃべっているのに、心に入ってこないのはなぜか。もっというと彼の話はまったく面白くなかったのです。

しばらく聞いていると原因がわかりました。彼が話している内容です。すべての話が他人の言葉を紹介しているだけだったのです。

「これは○○さん（有名人）がいっていたけど、……だそうなんだ」

「それについては○○さん（有名人）がセミナーでこんなことをいっていたよ」

「先日○○さん（これまた有名人）の出版記念パーティに行ったんだけど、そこで面白い話を聞いたんだ」

万事がこの調子です。グループ内で疑問がわいたり、誰かが質問したりすると、すぐに彼の頭の引き出しから「○○さんがいっていたセリフ」が取り出され、披露されるというわけです。

これはいうまでもありませんが、有名人の○○さんの言葉自体は素晴らしいものです。それが悪いのではなく、問題は伝え方でした。

自分のフィルターを通さないと相手に伝わらない

もちろん人の言葉を引用するのは、よくあることです。

私も話のなかでほかの人の言葉を使うことがありますし、本を書くときにも著名な人の話を引用したりもします。

でもそのときに重要なのは、その言葉をそのまま伝言ゲームのように使うのではなく、いったん自分のなかで消化してから使うということです。

たとえば、

「それは○○さんもいっているけど、実際に私もそう思うんだ」

「それについては○○さんもこういっていて、私もその考えに賛成です」

「○○さんがこんなことをいっていました。面白い表現ですよね」

このように自分のいいたいことを伝える道具として、他人の言葉を活用すれば違和感なく聞こえます。

要は自分のフィルターを通すということですね。

よく自分の言葉で話せというのを耳にします。営業のプレゼンでも、セミナーの講師でも、人前でなにかを伝えようとするときは、他人の意見の受け売りではダメだという意味です。

よいセリフを聞いたからそれを人に話そうとするのではなく、いいたいことが先にあって、それを伝えるために名言を利用するという順番ですね。

ですから、最後は「……だから自分はこう思うんだ」などと自分の気持ちや意見で終わらなければなりません。

気持ちを伝えようとしなければ、結局なにも伝わらないし、面白くもならないのです。

会話の上達ポイント 43

たくさん情報を集めても、そのままではなんの役にも立たない

44 話のストロークが長い人は損をする

社交的で明るい性格なのに落ちこぼれ!?

私が営業チームのリーダーとして部下を指導していたときのこと。

4人のメンバーはすべて営業未経験者。ゼロから教えなければいけない状態でした。その意味ではみんな実力は同じだったといえます。

ところが、すぐに差がではじめました。売れる人はコツをつかんだのか、次々に売ってきます。すぐに3人目までが売れるようになりました。

残りはあとひとり。

このメンバーのなかでは一番社交的で人当たりもよい彼が、いまだ売れません。ただし私はそれをある程度予測していました。彼は苦戦するだろうと思っていたのです。

その理由は、話のストロークが長いから。

ストロークとはひとつのことを話している長さをさします。彼は普段の会話からひとり語りの時間がとても長かったのです。

おしゃべり好きで陽気な性格から、まわりの人たちは彼が一番営業に向いているだろうと思っていました。当の本人もそう思っていたそうです。

ところが、売れない。どんなに頑張っても売れない。

彼はようやく真剣に焦りはじめました。なぜなら、彼よりずっと口下手で地味なメンバーがどんどん売り上げを伸ばしていたからです。

「自分のどこがいけないんでしょうか?」

珍しくまじめな顔で私のところへ相談に来ました。

私はこれを待っていました。

自分の欠点を理解したとき、人は変われる

「そうか、じゃあまず自分のことをじっくりと見てみようか」

そして、私をお客さまに見立てて彼に普段通りの営業をやってもらいました。

その様子はビデオで撮っています。

私は黙って彼にビデオを見せました。しばらく自分の姿を見つめていた彼は、

「僕って結構しゃべってますね」

「そうだね」

「なんか1回1回の話が長いですね」

「よく気がついたね、そうなんだよ」


これこそが彼が売れない原因でした。

話が長い人に対して、もっと短くしなさいといってもおそらく理解してもらえません。自分の話が長いとは考えてもいないからです。

でも自分の姿をビデオで客観的に見たときに、はじめてそれに気づきます。

客の立場でこれを聞かされたらどう感じるか、という視点に立てた瞬間です。

そのあとは簡単です。彼の説明トークを短くする作業だけ。

そしてすぐに彼は売れはじめました。

会話のストロークは短いほうがいい

このストロークについては、自分で気づいていない人が多いです。

とくに売れない営業マンがとても陥りやすいのです。

きちんと丁寧に説明すれば売れると思っているから、余計に説明のストロークが長くなる。それを聞かされているお客さまはうんざりして買う気も失せる。だから売れないということの繰り返し。そこから抜け出すには、「自分の話は長い」ことにいかに気づくかにかかっています。

普段からの会話でも、ストロークが長い人と話すのは疲れます。人の話を黙って聞くのはこんな無口な私ですらしんどいのです。

たまには自分の話し方をビデオで撮って、チェックしてみるのもいいかもしれませんね。きっと自分の思ったイメージとは違っているでしょうから。

45 複数人での会話では時間配分をわきまえる

ひとりの長話が全員をしらけさせた

初対面の人たちが集まる場所といえば、私の身近なところではセミナーがあげられます。

私も定期的に営業セミナーを行なっていますが、来られる人は基本的にははじめて会う人ばかりです。それは参加者同士も同じです。

セミナーは講師の話を聞くことがメインですが、もうひとつ参加者同士の交流の場としても有効です。やはり同じことに興味をもった者同士なので、話が合いやすいのです。

お互いのビジネスにつながったり、さらには私のセミナーに参加したのがきっかけで結婚に至ったという報告も実際にありました。

そしてセミナーが終わると、希望者だけで懇親会を開くのが通常です。

まあたいていは飲み会ですね。

私としても参加者の方と身近に語れるよい機会なので、セミナー本編と同等くらいに重要な場と位置付けています。

そのときに私が心がけているのは、できるだけ全員と話をするということです。セミナー後の感想を聞いたり、相談を受けたり、ときには参加者同士でアドバイスをし合ったりと、とても濃い時間を共有できるからです。

さて、ここからが反面教師の登場です。

ある日の懇親会で、とっても話の長い人が来られました。参加者は全部で10名ほどでしたが、彼が話をはじめるとみんなが聞き役にさせられます。

基本的に講師の私への質問なのですが、話しているうちにあれもこれもと膨らみはじめて、最終的になにを聞きたいのかもわからなくなってしまうありさま。

最初のうちは、ちょっと話が長い人だなあと、まわりも黙って聞いていました。しかし彼が口を開くたびに長話になってしまうので、もっと話がしたいほかの人たちは我慢しなくてはなりません。会の時間も限られています。

私は決断しました。

話が長くなったら不安になるべし

「**あの、お話の途中ですみませんが、ちょっと話が長いですね。話の長い営業はお客さんから嫌われますよ。もう少し簡潔に話をする練習をしたほうがいいでしょう**」といって、その人の話をさえぎりました。本書でも人の話を最後まで聞けと書いていますが、このときばかりは例外です。

少し強い口調でいったからでしょう。彼はしゅんとおとなしくなりました。おかげでほかの人たちとは落ち着いて話をすることができました。

お金を払って参加しているのだから、しっかりともとを取って帰りたい、という気持ちもわかります。

しかし、とくに営業なら、あの場で自分だけしゃべり続けることに不安を感じてほしいのです。まわりに気を使ってほしかったのです。そのそぶりが見えなかったので、私は彼を叱ったのです。

あとでほかの参加者に聞いたところでは、あの私の行動にみんな「ナイス！」と思っていたそうです。


これは会話が苦手だという人も例外ではありません。なぜならその長話の彼も、会話が苦手だからです。饒舌(じょうぜつ)の会話下手ですね。

会話をしているときも、もし自分だけがしゃべっている状態が続いたなら、「ちょっとしゃべりすぎたな」という気遣いをもってほしいです。

その場にいる人とのバランスを考えた会話ができれば、本書でご紹介している会話術のゴールも間近です。

会話の上達ポイント 45

自分が話をするときは、ほかの人はしゃべれないことを自覚せよ

ビンゴで代返を依頼

先日、中学のときの同窓会に参加しました。

会も中盤に差しかかったころ、私がもっとも恐れていたことが起こりました。

そう、ビンゴです。当たれば景品がもらえるので、それはうれしいのですが、ビンゴになる前に「リーチ」と宣言しなければなりません。それが嫌なのです。

そしてそんなときに限って、私の手札がリーチになってしまいました。

そこで、となりの威勢のいい女性にそっと声をかけました。

「リーチになっちゃった」

「ホントだ。早くいわないと」

「いや、そういうの苦手なんだよね」

「なにいってるのよ。ここリーチで〜す！」

私の代わりに大声で宣言してくれました。

その後もリーチになるたびに、声を出してくれたので助かりました。

苦手なことはこうした役割分担もアリだなあと思いました。

第6章

さらにコミュニケーションを高める会話力を身につけよう！

会話の基本は、
結局、相手への思いやりなんです。
面白い話を考える必要なんて一切ありませんよ！

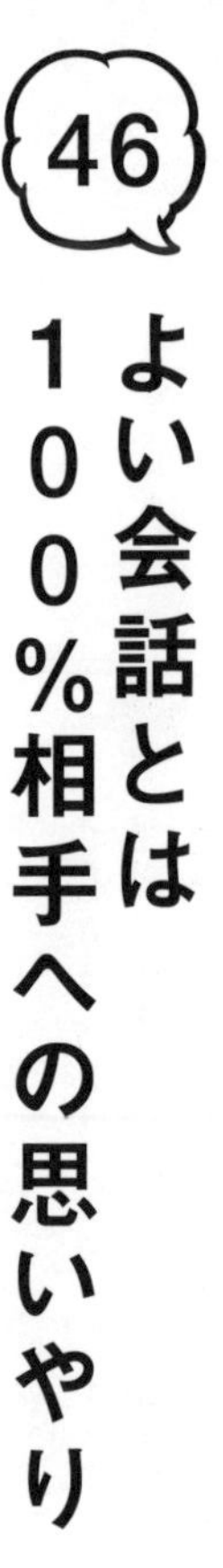

46 よい会話とは100％相手への思いやり

自分ではなく相手主体の会話にシフト

さあ、いよいよ最後の章に入りました。

ここまでいかがでしたでしょうか。もともと口下手の私は、会話がとても苦手でした。それをなんとか克服しようと、トークテクニックを鍛えることをはじめました。

しかし、本当によい会話ができるようになりたいと思ったときに、それだけでは限界があることに気づいたのです。会話には必ず相手がいる。自分のことだけでなく相手のことも考えなければならない。

そこで、自分を主体にした会話から、相手を主体にした会話にシフトすることに意識を集中しました。そして最終的には、相手に１００％の意識を向けることが、会話力向上の近道だとわかったのです。

そこでこの章では、相手主体のコミュニケーション力をさらに高める方法について解説します。


前章でいろいろなダメ会話について書いているときに、それらに共通する点を見つけました。それは相手への思いやりに欠けているところです。

人の話を横取りするとか、その場を盛り上げるために他人の悪口をいうとか、自分がしゃべりたいことを優先するなどなど。

自分さえよければいいという気持ちがあると、よい会話にはならないのだということを、あらためて確信しました。

そしてもうひとつ、「よい会話」とはなにか、についてです。

楽しければいいのか？　盛り上がらないといけないのか？　続けることが目的なのか？　気まずい沈黙がなくなればいいのか？

まずは、この部分をもう一度整理しておきたいと思います。

会話の目的は最終的になにをすることか？

そもそもどうしてあなたがこの本を手に取っているかというと、ざっくりいって会話がうまくなりたいからですよね。

では、どうして会話がうまくなりたいかというと、これまたざっくりいって人付き合いをうまくやりたいからだと思われます。

最後にもうひとつ、どうして人付き合いをうまくやりたいのかというと、

- **人間関係の悩みを解決したい**
- **仕事で成果を出したい**
- **人からよく見られたい**
- **ストレスをなくしたい**

など、あなたなりの最終的な目的があったはずです。

この目的をしっかりと意識しておかないと、会話そのものがブレてきます。

目的意識をもって臨めば、会話もスムーズに進むはず！

ついテクニックに走ってしまい、上手にしゃべることばかりに気を取られて、本当の目的を見失ってしまうと、いつまで経ってもゴールにたどり着きません。

あなたがこの本を読もうと思った、本当の目的はなんでしょうか？

まずはそこを明確にすることが重要です。

そして、どのような目的があるにせよ、そこに至る過程には、前述したように必ず相手の存在があります。

相手にこうなってほしい！　こんな行動をとってもらいたい！

突き詰めていうと、これが会話の目的といえるでしょう。言葉は悪いですが、相手を自分の思い通りにコントロールするための手段が会話なのです。

そう考えると、どうしてもテクニックで操作しようとしがちになりますが、人の心はとっても繊細です。目に見えない微妙な違和感も察知します。この人はなにか企(たくら)んでいるな、と思われたらその会話は失敗です。

だからこそ、相手への思いやりの気持ちがベースになければなりません。

結局、小手先では通用しないものなのですから。

会話の上達ポイント 46

テクニックに頼っていては、真の会話力は身につかない

47 相手を気持ちよくさせた者勝ち

目先の利益は、トータルで損

会話にはいろいろなタイプがあります。

「討論」のように、会話をしながら勝敗を決めるものもあれば、「商談」のようにお互いが同意するためのものもあります。

「懇談（こんだん）」は親睦をはかるのが目的なので、ここで優劣はつきません。

「口げんか」も会話のひとつです。

ほかにも「議論」「相談」「談笑」「雑談」など、いろんな種類があります。

文字通りに、人と人とが会って話すことすべてが会話です。

なかには、相手をいい負かして納得させることができても、それがかえって反感を買ってしまう結果になる会話もあるでしょう。

目先のことばかりを考えていると、逆にトータルでマイナスになってしまったりもします。

私は専門が営業分野なので、どうしても営業の例になってしまいますが、相手を説得して商品を売りたいときの会話で見ることにします。


「今キャンペーン中なのでとってもお得ですよ」

「だけど、とくにいらないからなあ」

「でも、ほんとに今だけのチャンスなんです」

「すぐに使う予定もないからいらないよ」

「将来使うときのために、置いておいてもいいじゃないですか」

「いらないものはいらないんで」

「そんなことといわずにお願いしますよ。1個だけでいいんです」

「しつこいな」

「買ってもらうまで帰りません！」

「もう、わかったよ。1個買うから帰ってくれ」

なんとか説得して買ってもらうことができました。
でも、これで本当によかったのでしょうか。

これで仕事も人付き合いもどんどん楽になる

その日の成果はなんとか上がりましたが、このお客さんはもう二度と買ってくれないでしょう。ということは、また新しいお客さんを探さなければなりません。しかも、今回のことで嫌な思いをしたお客さんは、この鬱憤(うっぷん)をなにかで晴らしたくなります。全国に向けて、「○○社の営業マンはしつこくて頭にきた」とツイッターなどのSNSでつぶやいたらどうなるでしょう。今はそれが簡単にできてしまう時代です。

これでは結果として会社に大打撃を与えることになってしまいます。

逆に買ってくれなかったとしても、好感をもたれていたらどうでしょう。「あの営業マンはオススメ」と勝手に宣伝してくれる可能性もでてきます。そうなれば、労せずしてたくさんの注文が入ることも現実にはあるのです。

かたちのうえでは相手をなんとか説得したとしても、相手がしかたなく納得したのなら、どうしても心に不満が残ったままになるでしょう。

コミュニケーションの視点から見ると、それでは意味がありません。むしろマイナスです。会話で相手を強引に説き伏せても、相手の気持ちを不快にさせていたのなら、それはあなたの負けです。

営業でも最高の成果は、お客さまに気持ちよく買ってもらうことです。そして次も買ってもらえるだけでなく、ほかのお客さまも紹介してくれる関係を作ることです。その積み重ねで人脈が広がって、仕事がどんどん楽になるのです。コミュニケーションにおいては、相手を気持ちよくさせたほうが断然得をします。

ぜひ、目先にとらわれない会話を心がけるようにしてください。

会話の上達ポイント

47

相手が喜ぶほど、その会話は成功したことになる

48 自己開示こそが相手の心を開く

上っ面の言葉では相手の心に届かない

私は今でこそ自分のことを、内気で口下手であがり症ですといっていますが、少し前まではとてもいえませんでした。

むしろ、そんな自分を隠しながら生きてきました。

なぜかというと、これはコンプレックスを抱えている人ならわかると思いますが、自分のマイナス面を人に見せたくなかったからです。カッコ悪いところや恥ずかしい性格などは隠しておきたくなりますよね、ふつうは。

そんなことをあえていう必要はないと思っていましたし、相手に知られてしまったらそれこそバカにされるとさえ思っていました。

そういうわけで、営業の仕事をやっているときはずっと隠していました。ましてや営業は明るくて前向きな人がやるものだとされていましたし、私もそう信じていましたから。

「こんにちは、今日もいい天気ですね！」

思い切り明るい人間を演じながら、無理やり笑顔を作って客先に行っていました。でもなかなか売れませんでした。

そうか、もっと元気な笑顔で行かないとダメなんだ。そう思った私は、家でも鏡の前で笑顔の練習をしたり、風呂場でトークの練習をしました。

しかしどんなに頑張っても売れません。

そんなとき、あるお客さまからこういわれました。

「頑張っているのはわかるけど、なんかいつもつらそうだね」

こんなに明るく振る舞っていたのに、私の本心は見透かされていたのです。

恥ずかしさに一瞬で顔が真っ赤になりました。

考えてみれば当然でした。相手はいろんな営業マンに毎日会っている、いわば営業を見るプロです。こんな私の付け焼刃（やきば）のような笑顔など、一瞬でバレるに決まっていました。

自分を偽って話していては、相手も心を開いてくれるはずがない

このときの私は、お客さまに対して仮面をかぶって近づいていたのです。

自分を偽って接してくる人に、誰が心を開くでしょうか。

そんな私のセールストークは、誰の心にも届きません。

つまり会話にすらなっていなかったのです。

開き直ると大逆転劇が待っていた

私は迷いました。このまま演じていても売れないのはわかっている。だからといって明るく振る舞う演技をやめて、素の自分を見せたら軽蔑されるかもしれない。ここは開き直るしかありません。もう破れかぶれでした。

私は、これまで時間をかけてきた、笑顔やトークの練習をやめて、ノーガードで営業先に行くことにしました。それ以外に方法がなかったのです。

「あの、私、しゃべりが下手なんで……」

こんなセリフからはじめました。どうせしゃべりはじめたらバレるのです。だったら先に自分でいってしまえ、という気持ちでした。

生まれてはじめて、素の自分を人前にさらした瞬間だったかもしれません。

すると、相手の反応は意外なものでした。


「ははは、営業なのに変わってるね」

「すみません」

「いやいや、かえってそのほうが好感もてるよ」


軽蔑のまなざしではなく、親しみをもったやさしい目でこちらを見てくれたのです。そして私のぎこちない話にきちんと答えてくれました。

拒絶されるどころか、心を開いて受け入れてくれたのです。

それを機会に、私の営業成績はぐんぐん伸びて、あっという間に全国トップになってしまいました。

このことは、その後の私の人生を大きく変えてくれました。

勇気を出して自己開示をすることで、それまで苦手で避けてきた人付き合いもできるようになりました。会話にも困ることがなくなっただけでなく、こうして会話の本まで書くほどになったのです。

あなたの会話力を劇的に上げる特効薬こそ、自己開示なのです。

会話の上達ポイント 48

カッコ悪い自分をさらけ出すことが、人付き合いの最初の一歩

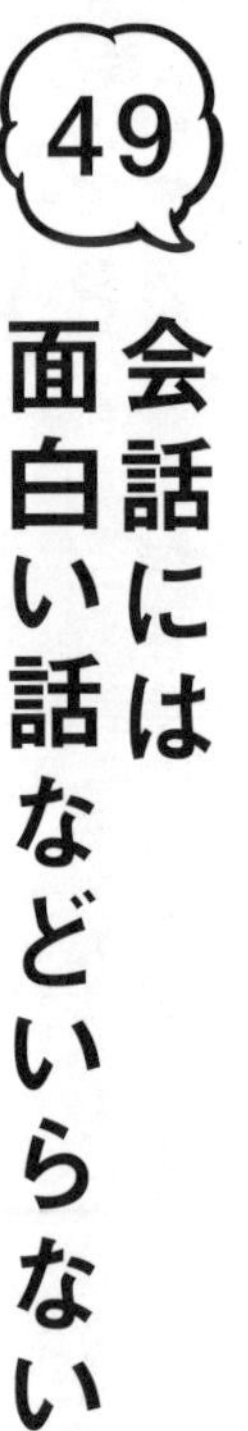

49 会話には面白い話などいらない

あなたはプロの芸人ではありませんよね

会話が続かなかったり、盛り上がりに欠ける原因は、「面白い話ができないから」だと思っていませんか？

たしかに相手を笑わせるというのは、ものすごい技術です。一瞬で相手の怒りを鎮めてしまったり、その場の空気を一変させることも可能です。

私の講師仲間にも、この人は芸人になったほうがいいんじゃないかと思えるくらいの笑いをとるプロもいます。正直うらやましいです。

ただし、中途半端にまねをして使うと痛い目にあうことも。

「……いやあ、びっくりしました。思わず逃げて帰ってきました！」

「……」(シーン)

「あれ?　ここ笑うところなんですけどね……」

「……」(再びシーン)

渾身(こんしん)のネタがウケなかったときの対処法まで私は知らないので、会場は逆に変な空気になってしまいました。笑いをとろうとして失敗するとお手上げです。

もともと人を笑わせることとは無縁だったのですから、当たり前ですよね。

最近では、無理して笑わせようなどとは思わなくなりました。

盛り上がっている宴会などを冷静に観察してみると、本当に面白いことをいっている人はほんの一部です。あとの人はそれを聞いてウケているだけ。全員が面白い人間ではありません。それに気づいてから、私は自分を「笑わせる係ではない」と位置付けました。人にはそれぞれ役割があって、得意なことでまわりに貢献すればいいのです。ですからあなたが笑いに関して苦手なら、そこを無理して頑張る必要はないのです。

自分に意識を向けさせる手段はほかにもある

たとえば、講師が参加者を笑わせる目的は、自分に注目させて一番いいたいことをきちんと伝えることにあります。

もちろんウケて気持ちがいいというのも多少はあるでしょうが、あくまでも笑いというのは目的ではなく手段なのです。

そう考えると、別の手段を使ってもいいわけですよね。

私が注目してもらうためによく使うテクニックは、ふたつあります。

ひとつは「沈黙」です。

会場がワサワサしていて集中していないなと感じたら、意図的に黙ります。今まで話をしていた私が急に沈黙すると、「あれ？」という感じでみんなが顔を上げるのです。そのタイミングを見てまた話しはじめます。

これから大事な話をするよという合図としても使えますし、なにより話術がいりません。コツさえわかれば誰でも簡単にできますよ。

そしてもうひとつは「話題替え」です。

同じように会場が集中していないなと感じたら、

「ところで、話は変わりますが……」

「あの〜、全然関係ない話をしてもいいですか？」

「ちょっと余談なんですけどね……」

こんな切り出しでポンと別の話をします。時間にして30秒程度です。それだけでもちょっとした気分転換になるので、単調になりがちな話にメリハリがつき、自分も含めて意識をリフレッシュできます。

これなら、笑いをとろうとするよりも簡単ですよね。

会話のなかで、笑いという要素は、別になくてもかまわないのです。

会話の上達ポイント 49
面白い話が必要なのは、自分に笑わせる適性があるときだけ

50 自分の得意分野にもち込むこと

いくら付き合いがよくても効果なし

私が愛読している漫画『ワンピース』にでてくる魚人族（ぎょじんぞく）は、敵と戦うときに海のなかに引きずり込もうとします。それは水のなかのほうが速く動けて自分に有利だからです。

会話は、戦いではありませんが、それでも自分にとってやりやすい場のほうが有利に働きますよね。

これは私もそうなのですが、もともと会話が苦手な人には、自分が苦手な場所に出向いて行って、やはりうまく会話ができないで終わるというシーンがとても多いように思えます。

たとえば、カラオケの席は私にとって苦手なところです。

自分が会話しやすい状況を作って、そのなかに相手を引き込んでみよう

以前の私は、このような苦手な場にも、これも付き合いだと自分にいい聞かせながらついて行っていました。そして行くたびに後悔するのです。

これって本当にコミュニケーションが円滑になるのだろうか？

そんな疑問がわいてきました。不得手な環境にいる自分の姿を相手に見せても、それがプラスに作用しているとはとても思えなかったのです。

事実、私がカラオケに行っても、一緒になって騒ぐこともせず、誰とも会話もせずに、人にすすめられてようやく自分の曲を入れます。傍（はた）から見ても楽しんでいるとは思えないでしょう。

そんな姿は、むしろ人付き合いが悪いと映るに決まっています。私にとってカラオケは、自分の得意分野じゃないのです。

いかがですか。あなたも苦手な場所での会話に苦戦していたのではありませんか？

自分を一番活かせる環境に身を置こう

会話を、コミュニケーションを高める手段と考えたときに、どこで会話をするかということも、重要な要素になってきます。

できるだけ自分の得意エリアで行なうべきですよね。

私はじっくり話をしたいときには、静かな喫茶店を選びます。騒がしい子連れの家族が来そうもなくて、BGMも静かで、テーブルも小さめの席があるような場所です。場合によってはちょっと値段が高めの店にすることもあります。そのほうがより落ち着いて話ができますから。

自分のペースで行動できて、余計なことを考えなくてもいい場所。それが自分の一番よい面を表現できるところだと思っています。

もちろん、人それぞれでいろんな環境を選べばいいでしょう。

クルマが好きなら、ドライブをしながらの会話がいいかもしれません。自然が好きなら山や海に行ってもいいのです。そして自分の好きな環境の話題も得意なはずですから、より一層話ができます。

そのためにも、自分が得意な分野（たとえば静かな喫茶店など）をいくつか知っておく必要があります。「どこかいいお店知ってる？」となったときに相手を連れていけるような。

ぜひ、自分が有利になる環境に、相手を引きずり込んでしまいましょう。

会話の上達ポイント

50 自分を最大限に表現できる場所をいくつかストックしておこう

51 自分の意見がいえるようになるための練習法

するどい意見はこうしていおう

何事にも自分の意見をきちんといえるようになれたらいいですよね。

何人かで話をしているときに、するどい意見をビシッといえたらみんなにも一目置かれるでしょう。私は子供のころから自分の意見をなにももっていない人間だったので、きちんといえる人になりたいとずっと憧れていました。

とくにニュースなどの時事ネタの話題になると、全然ついていけなくてまわりの会話を聞いているだけ。どうしてみんなはそんなにいろいろと知っているのだろうと不思議に思っていました。

たとえば、あなたが飲んでいる席で「原発」の話題になったとしたら、どうしますか？　以前の私ならずっと黙っていたでしょう。

でも今では、少しぐらいなら意見を出せるようになりました。コツがわかったからです。

世のなかで起こっていることとの情報には、必ず賛否があるということに気がつきました。原発にも反対と賛成がありますよね。その両方の意見を調べておくのです。話題になっているネタの反対意見と賛成意見を、それぞれネットで検索してみると、その話題の全容がつかめるようになります。

物事には表裏があります。表だけの情報で話をしていても、どこか薄っぺらになりがちです。そこに、裏側からの視点を加えると、とたんに話に厚みがでるのです。この厚みこそが「するどい！」意見の正体です。

先ほどの原発の話題で、話の流れが「反対」の方向になっていたら、途中で「賛成」の意見をはさみ込んでみましょう。別にみんなの意見に反対しているのではなく、「こんな見方もあるんじゃない？」と話題に厚みをもたせる効果があります。

みんなの逆から意見をいうクセをつけると、一言だけでもあなたの存在感は高まるでしょう。

新聞のここだけ読めばＯＫ

話題のネタを仕入れるためには、新聞も外せない媒体です。でも忙しい毎日で新聞に目を通している時間がないと思っている方へ。全部を読む必要はありませんし、ニュース記事も読まなくていいです。

読むべきところは「社説」です。新聞には、必ずその新聞社独自の意見として社説が掲載されています。書き手はエース級の記者。文章もうまいので読みやすいです。

一般にニュースなどの記事は、事実をそのまま書いてあるものですが、社説というのは、ニュースに対しての意見を書いてあるのが大きな違いです。

社説に書かれている意見というのは、単に記者の思いだけでなく、いろんな角度からニュースを分析しています。そのニュースの表と裏をしっかりと調べてから書いているのです。

「○○という見方が一般的ですが、他方で××という意見もあり、それらをトータルで考えてみると△△が、もっともよい方法だと思います」

このように、話題になっているニュースについて知ることができるのと同時に、それに対しての見方や考え方なども学ぶことができます。

私はそれを通勤の電車のなかで思い出す練習をしていました。

朝読んだ社説の内容を人に話すように頭のなかでつぶやくのです。

そうすることで、自分の言葉に置き換え、なおかつ、自分の意見も多少織りこんだかたちで使えるようになりました。

サッカーでもボクシングでも、その結果に対して、いろんな意見がでてきます。それらをひと通り自分のなかで消化しておけば、飲み会の席ぐらいでしたらあなたも立派な評論家になれるでしょう。

話題のネタについて裏表から読み取るクセをつけるようにすると、自然に自分の意見がいえるようになってきますよ。

自分なりのネタ集めのルールを作っておくとよい

52 感情（ハート）に視点を当てれば話はもっと弾む

その行動のきっかけはなんなのか？

人はふつうに生きていれば、なにかしらの行動をします。

当たり前のことなのですが、ここに会話のポイントが潜んでいます。

たとえば、普段はあまり買い物をしない友人が、急にデパートに洋服を見に行ったとしましょう。そんなときにどう会話を切り出すかで、展開が大きく変わってきます。

「どんな服を探しに行ったの？」

「いや別に、普段着るようなやつだよ」

これは、「服」というハードに視点を当てた切り出しです。これで話が発展するかどうかは、ある意味で運しだいです。

では、今度はどうでしょうか。

「珍しいね、普段はあまり服とか買わないのに。なにかあったの？」

「まあちょっとね」

「え、なにがあったんだよ。教えろよ」

「いや、じつは今度デートに行くことになっちゃって」

「ええ～。マジで！　おいおい詳しく聞かせろよ」

これは、服を買いに行った「きっかけ（動機）」に視点を置いたものです。

普段は行かないのに急に服を買いに行ったとしたら、なにかしらの理由があったに違いありません。そこを話題にすることで、相手の気持ちの部分（つまりハートの部分）にフォーカスした会話ができるようになります。

人はハードよりもハートの話のほうが、より深い会話になりやすいのです。

このように相手がなにかしらの行動をしていたら、視点を「気持ちの面」に当ててみましょう。

「どうしてデパートに行ったの？」

「新しい服を見ようと思ったきっかけはなに？」

人の行動の裏には必ず動機があります。それを話題にすることで、会話が弾みやすいのはもちろん、相手のことがより深く理解できるようになるのです。

人生の変化には感情の動きがある

行動とともに注目すべきは、相手の変化です。

髪を切ったとか、腕時計を変えたなどの日常の変化はもちろんのこと、結婚した、子供ができた、転職した、引っ越した、などの人生の大きな変化もあります。いわば節目ですね。これも強力な会話のポイントになります。

たとえば、転職したことを話題にするとします。

「3年前に転職してたんですね。理由はなんですか？」

「前職が、仕事がきついわりには給与が安かったので」

「なるほど、ではそれを決断した直接のきっかけはなんだったんですか？」

「そうですねえ、結婚したい人ができて、将来について考えたときに、このままではダメだと思ったからです」

いかがですか。「転職」の裏には「結婚」が隠れていたのです。こうなると会話が弾みだすのがわかりますよね。

このように人生の変化にも、気持ちの動きが必ずあります。そこに焦点を当てた会話を心がければ、相手はどんどんしゃべってくれます。

また感情が動くときというのは、その人の価値観なども見え隠れしてきます。相手をより詳しく知るという観点でも、ハードではなくハートを話題にすることを心がけるといいですよ。

会話の上達ポイント

52

深い会話をしたいなら、相手のハート面にフォーカスしよう

会話とは、お互いの共通点を見つける作業である

100%成功する会話術はない

さて、いよいよこの項目で最後になりました。

ここまで来てこんなことをいうのもなんですが、相手と絶対にうまくいく決めゼリフなどはありません。そんな夢のような言葉などこの世に存在しないのです。

仮にもし、そんなセリフがあったとしたら、会話本は世のなかに一冊あれば足りるでしょう。それを読めばどんな人でも会話で苦労をしなくなり、思い通りに人とのコミュニケーションがとれてしまう本……。

しかし現実には、書店に行けばたくさんの会話本が並んでいます。どうしてもこれだけ読めばOKというわけにはいかないようですね。

どうしてでしょうか。

それは、本書内でも何度もいってきましたが、相手の存在があるからです。こちらの言葉をどんなに磨いても、相手のガードに跳ね返されたら通用しません。また、同じ相手でもその日によってガードの種類が変わってきます。ガチガチにかまえている日もあれば、ノーガードのときもあったりします。

したがって、こちらがどう伝えるかよりも先に、相手のことを見極めなければ攻めようがないのです。

相手がロボットでもない以上（最近ではロボットも臨機応変になりましたが）、こちらのセリフに、こちらの考えた通りに相手が反応しないということを大前提として会話に臨むことが重要です。ただし、絶対の100%はないですが、それを限りなくいい状態に近づけることはできます。

合格点までの道しるべ

どんなに会話が上手な人でも、初対面の相手と最初からうまく話ができるわけがありません。はじめのうちは、小さな会話のやりとりで話の糸口を探しています。そのために会話の達人たちが必ずやっていること。それは相手との共通の話題をいかに早く見つけるかに全神経を注ぐことです。

●お互いの過去の接点
●お互いの共通の知人

これらを手がかりにして質問をしながら、相手がたくさん話してくれるように会話の流れを作ります。そしてひとつの話題が一段落すると、次の話題探しをはじめます。達人はこれを繰り返しています。

そうすることによって、会話の合格点に近づけているのです。

どんなに自分が伝えたいことがあったとしても、それを相手が聞いてくれなければ意味がありません。

どんなに相手を説得したいと思っていても、相手がこちらを信頼してくれなければなにをいっても無駄骨(むだぼね)に終わります。

どんなに楽しく会話をしたいと思っていても、相手がこちらと話したくないと思ったら、会話は途切れてしまいます。
会話によってこちらの希望を叶えようとするのなら、なによりもまずやらなければならないことは、
①相手に聞く態勢になってもらうこと
②相手の信頼を得ること
③話したくなる気持ちになってもらうこと
これがもっとも重要です。
ぜひ、今日から相手を主体にした会話を心がけていってください。
きっと、お互いにメリットを共有し合える付き合いができるはずです。
そしてよりよいコミュニケーションを実現してください。

会話の上達ポイント

53

会話の原点は、まず会話ができる共通の話題を見つけること

おわりに

ここまで本書をお読みいただきありがとうございました。

会話本なのに、会話例が少ないと思いませんでしたか？

ただ会話例がたくさんあったとしても、実際にそれが使えるかというと私には疑問でした。

生身の人間同士の会話には、現実として「こんなときはこういえばいい」などという単純な公式など当てはまらないからです。

それよりも、もっとその場の変化に対応できるベーシックな知識をもってほしい。そう思ってこの本を書き進めました。

単純な言葉のテクニックやノウハウを身につけただけでは、結局は信頼関係にまでは至りません。表面だけの付き合いは、小さなことですぐに崩れてしまいます。

その点、相手への思いやりをもった会話ができるようになれば、多少のことでは揺るがない、たしかな人間関係が築けます。

近年、とくにインターネットが主流のコミュニケーションになってからは、人と人との関係性が薄くなってきていると感じます。

一方的にいいたいことだけを文字で送り合うのではなく、きちんと相手を見て、相手に応じた言葉を使うことの重要性をもう一度見直すべきだと思います。


ひとりでも多くの人が、コミュニケーションにストレスを感じないで、穏やかに付き合えることを願っています。

渡瀬　謙

[著者プロフィール]

渡瀬 謙（わたせ けん）

サイレントセールストレーナー、有限会社ピクトワークス代表取締役。小さいころから極度の人見知りで、小・中・高校時代もクラスで一番無口な性格。精密測定機メーカーから（株）リクルートに転職後、社内でも異色なしゃべらない営業スタイルで入社10カ月目で営業達成率全国トップになる。それを機に、内向型のコミュニケーションに興味をもちはじめ、売れずに悩む営業マンの育成を専門に、セミナーや講演、個別コンサルなどを行なって現在に至る。

主な著書に『“内向型”のための「営業の教科書」』『“内向型”のための雑談術』（ともに大和出版）、『相手が思わず本音をしゃべり出す「3つの質問」』（日本経済新聞出版）など多数。

公式ホームページ　http://www.pictworks.com

[STAFF]

カバーデザイン　小島トシノブ（NONdesign）
本文デザイン　tobufune
イラスト　今井ヨージ
編集協力　パケット

*本書は弊社発行『朝5分！　読むだけで「会話力」がグッと上がる本』に加筆・修正を行って再編集し、改題したものです。

口下手でもうまく伝わる
しゃべらない「会話力」入門

2023年6月10日　第1刷発行

著　者　渡瀬 謙
発行者　永岡純一
発行所　株式会社永岡書店
〒176-8518 東京都練馬区豊玉上1-7-14
代表 03(3992)5155　編集 03(3992)7191
DTP　センターメディア
印刷　精文堂印刷
製本　コモンズデザイン・ネットワーク

ISBN978-4-522-45423-7 C0176